ネット中傷
駆け込み寺

武蔵野大学
名誉教授 佐藤佳弘　タレント スマイリーキクチ

武蔵野大学出版会

はじめに

私は、ありがたいことに講演の機会をよくいただきます。多いときには、年に１００件ほど講演することもあります。

依頼されるテーマで最も多いものは、インターネットにおける人権侵害です。依頼してくださる主催者の分野はさまざまです。自治体、教育委員会、学校、公民館、企業、ハローワーク、研修センター、人権団体など各方面から依頼をいただきます。

また、講演会の出席者もさまざまです。一般市民をはじめ自治体職員、学校の教職員、児童・生徒、保護者、事業主、幹部社員、一般社員、地域の人権指導者など幅広いです。

こうしてみると、ネット人権侵害は年齢・性別・職業を問わず多くの人々に関わっているということがわかります。

ある日、私は市民の方々を対象にした講演会で講師を務めました。

講演を終えて片付けていると、一人の参加者の方が近付いてきたのです。

ネットで中傷されている方でした。自治体や相談センター、警察などさまざまなところに行って相談したのだけれども解決しない。何とか手を尽くして削除しても、また書き込まれる。

「結局、私は諦めるしかないのですね」と肩を落としていました。

ネット上で中傷されて困っている人は多くいらっしゃいます。

中傷投稿を簡単に削除できないというのは、ネット被害の実態そのものです。ネット上で中傷された多くの被害者が救済されずに悩んでいるのです。

このような状況に接するたびに私はネット中傷の現状を多くの人に知っていただきたいと思っていました。

本書では、被害者の疑問や悩みに答える形で、ネット中傷について知っておいていただきたいことをわかりやすく解説しています。


子どもから大人まで誰もがインターネットを使う時代になりました。

この利用者の拡大に伴って、ネット上では多くのトラブルが発生しています。ネットは便利な道具ですが、自分がひとたび被害者になると、わからないことだらけです。

さらに、わかりにくくしているのは、法制度上の建前や技術的に可能なこと、そして現実での実際の話が違っているということです。

つまり、「できる」ことになっている対処でも、被害者が実際にやろうとした時に「やれる」とは限らないのです。本書では、実際はどうなのか、現実はどうなのか、という点を特に解説しました。建前の話や机上での話では、何の役にも立たないからです。

また、本書はできる限り専門用語を避けて説明しています。しかし、正確に表現するためにやむを得ず、一般的ではない用語を使用した部分もあります。用語がわかりにくくても、そのまま読み進めていただければ、大筋では間違いのない知識が得られるはずです。

ネット上での人権侵害には、法制度上の問題や、技術的な問題、実際上の問題などが複雑にからんでいます。そのため、対処しようとするとさまざまな壁が立ちはだかります。

被害者を救済することは、確かに簡単ではありません。しかし、現状についての知識を得て疑問が解消されれば、不安が少しは軽減されるのではないでしょうか。

真っ暗闇の道を歩くよりも、足元が照らされていれば、つまずくことも防げると思います。

最後になりましたが、執筆の機会を与えてくださった、武蔵野大学出版会の斎藤晃さんにお礼申し上げます。いつも締め切りを守ることができず迷惑をおかけしました。私は出張の度に原稿を持参して、移動中の電車や宿泊先のホテルで執筆していました。
また、忙しい中、共著に協力してくださった、太田プロダクションのスマイリーキクチさんにも感謝します。ネット中傷の被害者として、貴重な情報を語ってくださいました。
そして、イラストレーターの野田節美さんも、本書の重要な役割を果たしてくださっています。テーマ自体が重くて真面目なものですから、原稿からイラストを発想するのは大変だったと思います。それにもかかわらず、多くの方に読んでいただけるタッチのイラストを描いてくださり、本当にありがたかったです。
そして、私の原稿が本の体裁になっているのは、デザイナーの三枝未央さんのおかげです。

本書がインターネット上での中傷投稿への対処の理解を助け、万一、皆さんが被害に遭ったときには、足元を照らす灯《あか》りになることを願っています。

なお、本書は、執筆時点での法制度に基づいています。

佐藤佳弘

消せるんですよね!?
あいつは
最低!
ムカツク!
また変なこと
書かれてる…

第2章 発信者の特定

第3章 中傷投稿への対処

第4章 ネット時代の法制度

第5章 無視しますか？ 戦いますか？

第2部 ネットで悪質な書き込みをされたら…

中傷対策1 被害は突然やってくる

中傷対策2 警察・弁護士へ相談するには?

中傷対策3 トラブルに巻き込まれないために

第1部

ネット中傷とは?

もう、アンチコメントがすごいんだよ〜

第1章

書き込み削除の壁

1 中傷書き込みって消せないの?

お悩み

私に対する中傷投稿を消してもらいたいです。

被害者にしてみれば、中傷書き込みはすぐにでも消してもらいたいものです。自分への中傷や間違った批判、ウソの情報などが放置されていると、多くの人に見られてしまいます。事情を知らない人が見たら、本当のことだと誤解するかもしれません。自分の名誉のためにもネット上に残したくありません。

「消せるのか？　消せないのか？」と聞かれたならば、「消すための手続きはある」と答えることになります。「その手続きを使えば消せるのか？」といわれると、「消すには覚悟が必要」というのが正直な回答です。何を覚悟するのかというと、本気で消そうとするならば、多くの費用、時間、手間、そして精神的な苦痛を覚悟しなければならないのです。

すべての書き込みについて、削除が難しいというわけではありません。時には簡単に「消せる」こともあります。それは、誰が書き込んだのかわかっていて、その人に連絡が可能で、「『消してほしい』と頼んだら消してくれた」というケースです。

投稿者が知り合いや友達だったら、そんなケースもあるかもしれません。これはとてもラッキーで、しかもレアなケースです。

ところが、多くの場合は匿名で投稿されていて、相手が誰なのかわかりません。そのような状態からスタートするケースでは苦労します。

現在のところ、悪質書き込みの削除は法が定めているのではなく、SNSなどのサービスを提供している事業者の、自主的な取り組みに委ねられています。

サービス提供事業者は、利用規定やガイドラインを作っています。削除申請の手続きも用意しています。「あの」といったら関係者に怒られるかもしれませんが、あの無法状態のようなネット掲示板「5ちゃんねる」(注1)でさえ、正式な削除の手続きがあり、削除依頼フォームを用意しています。

では、「用意されている正式な削除手続きに従えば消してもらえるのか」というと、書き込みの削除はそう簡単ではありません。「被害者から削除依頼があったから」といって安易に書き込みを削除すると、サービス事業者は削除したことについて、発信者から苦情や抗議を受けてトラブルになる可能性があるからです。時には損害賠償を請求されるという訴訟リスクも生じます。憲法は表現の自由(注2)や言論の自由(注3)を保障しているのです。

被害者が中傷書き込みを削除しようとすると、弁護士の支援や裁判所の手続きが必要になります。だから、消すための手続きは存在するのだけれど、本気で消そうとするのならば、多くの費用、時間、手間がかかるということなのです。

完璧な方法ではありませんが、広まることを防ぐ方法があります。

それは、検索結果として表示させないようにする**非表示の手続き**です。

ヤフーも、グーグルも、ネット上に手続きを用意しています。ネット上の書き込み自体を削除できなくても、検索結果として表示させないようにするだけでも、効果があると思います。ヤフーやグーグルで検索しても表示されなければ、他の人に見られることをいくらかでも避けることができます。

アダルトコンテンツや、著作権侵害のコンテンツについては、比較的、対応してもらえる手続きのようです。しかし、中傷については、どの程度まで対処してもらえるのかは定かではありません。でも、非表示にする手続きをダメモトで試みるとよいでしょう。

ANSWER

消すための手段はある。費用、時間、手間が必要です。

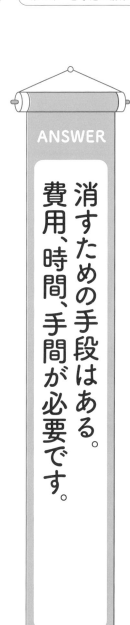

2 削除が困難な理由

またいやな書き込みが…
投稿者
○○○ちゃんねる
掲示板の管理人
サービス事業者
プロバイダ
コレ
アレ
関係者が多すぎ!!
なんでだよ～!!
なんで削除できないんだよぉぉ～～
どうしたらいいの…

お悩み

誰が見ても中傷なのに なぜ削除が難しいのですか？

中傷投稿に悩む被害者を救済するには、まず第一に中傷投稿を削除することです。

その投稿がネット上に残っている限り、被害者は嫌な思いをすることになるからです。

被害者本人が中傷されている証拠を示して削除を求めても、現実には削除は簡単ではありません。

なぜ、削除が難しいのでしょうか？

ネット上の中傷投稿は、壁に貼られた中傷ビラを剥がすようには簡単には消せません。

その理由には、**ネット特有の事情が関係している**のです。

中傷書き込みがあった場合、関係者は書き込んだ加害者一人だけではありません。**関係者は複数存在する**のです。もちろん、書き込んだ張本人がいます。書き込んだ先が、ブログやネット掲示板であれば、そのブログや掲示板の管理人がいます。ネット利用者であれば誰でもブログやネット掲示板を持てるので、管理人が一般のネット利用者であることが多いです。また、そのブログや掲示板のサービスを提供している、サービス提供事業者がいます。この事業者を**コンテンツプロバイダ**（注4）ともいいます。ツイッターやインスタグラムもサービス提供事業者です。そして、やっかいなことに、転載されたり拡散していたら、転載先のサイトがあり、そのサービスを提供している事業者がいます。

こうして拡散した数だけ、ネズミ算的に関係者が増えているのです。それぞれが削除の権限や、機能を持っているので、被害者はそれぞれに対して削除の依頼や交渉をすることになります。これらの拡散した書き込みを、一括して削除する手続きは用意されていません。一件一件対処することになります。

「常磐道あおり運転殴打事件（注5）」では、無関係の女性がガラケー女に間違えられました。その噂がネット上で拡散し、多くのバッシングを受けました。この女性は、約２００件の書き込みについて、発信者情報の開示手続きを行っていると報じられています。

このように1件ずつ対処することになるのです。

また、投稿者は中傷を書き込むときに、インターネットに接続しています。そのときに使ったインターネット接続事業者、いわゆるプロバイダも存在しています。**アクセスプロバイダ**ともいいます。コンテンツプロバイダも、アクセスプロバイダも、サービス事業者です。一件の中傷投稿でも、関係者が複数存在するのです。さらにいうと、サービス事業者が

日本の企業であるとは限らないということも、削除を面倒にしています。

書き込みの削除を請け負う民間会社があります。**削除代行業者**です。どうしても消したい書き込みがあるのならば、そのような会社に依頼することも、選択肢の一つになるでしょう。ただし、1件あたり数万円の手数料がかかります。

そして、知っておいてほしいことがあります。これもネット特有の特質なのですが、**再発の可能性がある**ということです。削除することだけに目を奪われていると、書き込み削除を繰り返す、「**無限ループ**」に陥る危険があります。苦労して削除しても、また書き込まれるということがあるのです。

「削除するだけでは根本的な解決にならないことがある」ということも、知っておいてください。中傷投稿を繰り返される場合の対処については、「再発の防止（P166）で解説していますので、参考にしてください。

ANSWER

ネット特有の事情が削除を難しくしています。

3 削除の落とし穴

お悩み

中傷投稿を削除できれば解決だと思うのですが。

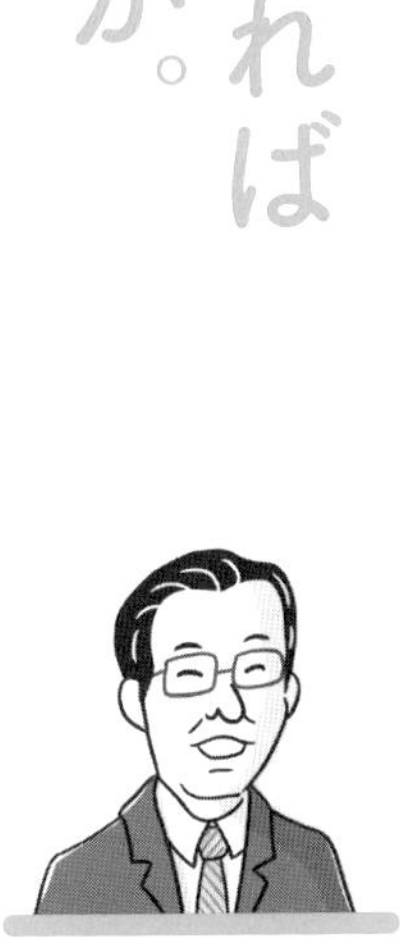

ネット上に投稿された中傷コメントは悩みの種ですよね。ネットに残っていると気になるし、不快になるし、気持ちも穏やかではありません。それは、中傷が持つ「負のエネルギー」のせいです。「とにかく中傷コメントを削除したい」というのは正直な気持ちでしょう。でも、削除がゴールだと思わないでください。削除さえすれば問題が全て解決すると思っていると、落胆することもあります。削除によって新たな問題が発生することがあるからです。これらの問題の可能性があることを、心において取り組んでください。

削除で炎上

悪意を持って中傷している人は、被害者の反応を見ています。投稿を削除すると投稿者は被害者が嫌がっていることを知ってさらに勢いづきます。攻撃することが目的ですから、自分の書き込みが相手にダメージを与えたことを知って喜ぶのです。

削除したらしたで、今度は「都合が悪いから削除した」「自ら自分の非を認めた」とさらにバッシングを強めます。粘着質と呼ばれる者は、しつこく批判する投稿を繰り返します。何をどう説明しても、揚げ足をとったり、ケチをつけたりするのです。

●抗議して炎上

相手をけん制するつもりで、「通報します」とか、「削除申請しました」などの言い返す言葉は、相手を挑発したことになります。通報するときも、削除申請するときも、宣言する必要はありません。「やれるものならやってみろ！」的な言葉は、火に油を注ぐことになります。

ネット上でやり合ったり、言い争うことは避けましょう。しつこく繰り返される場合は、しっかりと記録を残しておき、本気で対処するか否かを決めます。覚悟を決めたら、「法的措置をとります」と警告します。

●仮処分命令で炎上

削除するための強力な手段である、「**削除の仮処分命令の申し立て**」もトラブルを招くリスクがあります。仮処分決定発令後は、利害関係者が記録を閲覧できます。代理人である弁護士名も記載されているため、今度は弁護士が被害を受けたという事例があります。

ネットを使えば、いつでも誰でも投稿できるので、仮にいま目の前にある投稿を削除することができても、また書き込まれるという可能性もあります。この状態は無限もぐら叩きに似ています。元を絶たなければ繰り返される恐れがあるということです。

削除するということは対症療法だと思ってください。削除するだけでは全てが解決というわけではありません。再発の防止を考えることが必要です。

根本的な解決を望むのであれば、中傷投稿に対して立ち向かう覚悟をして、**法的な措置**で対抗することも考えましょう。

法的な措置であれば、抑止効果を期待できます。

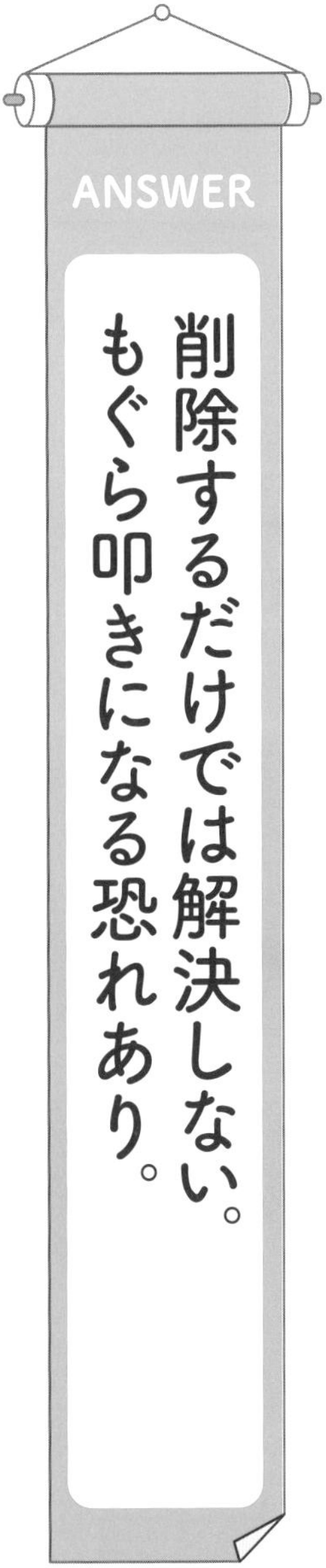

ANSWER
削除するだけでは解決しない。
もぐら叩きになる恐れあり。

4 ネットで反論

○○なんですか！
あいつって○○なんだよ笑ww
ああだ
○○○って言ってたよ!!
ウソつき!!
○○○なんて言うなんてヒドイ!!
こうだ！
証拠は？
アンチ
ちが～～う！
そうじゃないっ!!
ちがうのに！
ウソだよ～～
そんなつもりじゃないのに～～

お悩み

アンチコメントされました。とても不快です。

子どもたちは学校でこんなふうに教えられています。

「黙っていたら伝わらない」

「いわなかったら認めたことになる」

「間違っているのならいいなさい」

正しいことをちゃんと主張できる人になりなさいということですね。でも、この教えをネット上で正直に実行すると、被害者になってしまいます。

中傷投稿や、否定的な批判の書き込みのことを、アンチコメントといいます。

たいていは匿名で行われます。関係者からのアドバイスであればともかく、事情を知らない見ず知らずの赤の他人から、一方的に批判されるというのは不快なものです。

アンチコメントにいちいち関わるというのは、あまり得策ではありません。

相手が関係者であるのならば話は別ですが、匿名の場合は、「そんな意見もあるのか」程

度に受け止めて無視することが、第一の対処になります。

このように無視する力を**スルースキル**といいます。

嫌がらせをしている人は、標的が反応するとさらに調子に乗ります。図に乗るというやつです。一方的にいわれていると、腹が立つでしょう。やり返したくなるでしょう。でも、反応するということは、相手を喜ばすことになります。

書き込みに対して「それはウソだ！」「事実ではない！」「間違っている！」と否定すると、相手は「証明しろ！　証拠を見せろ！」とさらに畳みかけてきます。攻撃する側は匿名の影に隠れて、ああいえばこういうで、いくらでもいい返せるのでキリがありません。

いってもいないことをいったとか、やってもいないことをやったなどと批判された場合、そのコメントを否定するときに証拠はありません。ないことの証明は「**悪魔の証明**」といわれ、無理難題の代表例なのです。

悪意があれば何とでも非難できるのです。

そのような難癖《なんくせ》に、まともに付き合う必要はありません。無視すれば今度は、「都合が悪いから答えないのだ！」とか、「だんまりは認めたということだ！」と無視したことを材料にまた攻撃します。悔しい気持ちがあっても、あなたが一段上から見ることです。

こんなときに相談できる人がいるといいですね。話を聞いてもらえると気持ちが楽になります。

もしも、しつこく繰返えされて、生活や仕事に影響したり、関係者に迷惑がかかるようであれば、それ以上の放置はできません。次の段階の対処は「**法的な措置を用意する**」という警告です。

立ち向かう決意をしてください。そして、**中傷書き込みの記録**を残します。

懲りない投稿者は、警告しても、「単なる脅かしだ」とか、「ハッタリだ」などといって、また攻撃のネタにするでしょう。立ち向かう決意をしたのならば、泣き寝入りをしないでください。本気で解決を望む気持ちで弁護士に相談しましょう。

名誉毀損罪も侮辱罪も**親告罪**です。

被害者が訴えない限り、罪として処罰されることがありません。泣き寝入りは、逆に加害者を野放しにすることになります。

ANSWER

繰り返すようなら、記録を残して警告する。

5 法務局からの削除要請

お悩み
法務局から削除はできないのですか？

ネット上で人権侵害を受けたときに、利用できる公的な相談窓口はいくつかあります。法務省の**人権擁護機関**もその一つで、**法務局**や**地方法務局**になります。法務省ですから人権を扱う最高機関ですね。

ここに被害を申告して助言を求めると、削除のための手続きが案内されます。**プロバイダ責任制限法**（注6）に基づく削除依頼の方法や、サイト管理者への削除依頼の方法を教えてくれます。犯罪性があって、被害者が処罰を求める場合には、警察庁の**サイバー犯罪窓口**が案内されます。

基本的に法務局は、相談者に削除の手続きを案内して、被害者自身が対処することを促します。これらの方法で本当に削除できたらラッキーです。現実は、これらの手続きでは簡単には削除できないことの方が多いのです。

これらの用意されている手続きで簡単に削除できないからこそ、被害者は困っているのです。被害者自身が手続きをしても削除できない場合は、法務局から削除要請を行うことがあります。

ただし、法務局は被害者から申告があれば、「必ず削除要請を行う」というわけではありません。法務局は、「被害者が受けた人権侵害について調査し、名誉毀損やプライバシー侵害に該当すると判断される場合に削除要請する」としています。

過去のデータを見ると、相談の3分の1くらいが削除要請の対象になっています。つまり、3分の2のケースでは、削除要請をしていません。

法務局が削除要請をすれば、お上からの要請ですから、ある程度の効果は期待できます。でも、残念ながら強制力はないので、必ず削除されるとは限りません。また、削除要請に従わなくても、罰則もありません。5ちゃんねる掲示板などは、削除しない方針で運営していますから、法務局から削除要請があったところで削除されないと思った方がよいです。

困ったことは他にもあります。法務局から削除要請が行われたとしても、「その結果の報告や通知が被害者にされない」ということです。削除されたのかどうかは、被害者自身が確かめなければなりません。そこで、さらに困ったことが生じます。ヤフーやグーグルが、検索結果の表示順位をどのように決めているのかは公表されていませんが、検索結果の表示の際は、「アクセスがあったサイトの順位を上げて表示する」といわれています。

つまり、被害者が確かめようとしてアクセスすればするほど、検索結果の上位に表示されて、多くの人に閲覧されることにつながってしまうのです。

また、とても怖いことに、インターネット上には図書館「Wayback Machine」(注7)が存在しています。このインターネット図書館には、驚くことに**世界中のアクセスができる全てのウェブページが収録されている**のです。

しかも、過去からの更新履歴がそのまま保存されていて、数年前の状態までさかのぼって確認できます。誰もが無料で閲覧できる恐るべき図書館なのです。

この図書館に記録されている情報の削除についても、いちおう手続きが用意されています。メールで削除を依頼しますが、英文で送らなければなりません。

また、そのコンテンツの管理者であることを証明するように求められますので、第三者にとってはかなりハードルが高いようです。

ANSWER

必ず削除されるとは限らない。削除要請には強制力がない。

6 削除依頼フォーム

カタ　カタ
カタ
カタ
削除依頼フォーム
依頼されたとする権利
選択してください
お名前
お名前の開示
○開示 ◉開示不可
メールアドレス
@ .jp
カタ
カタ
これで安心？
きっと…？

お悩み 削除依頼フォームを使えば消せますか？

ネット上にあるＱＡサイトはとても便利です。

わからない事があったら、ＱＡサイトで質問すると、全国の親切な人たちが教えてくれます。パソコンの操作方法でも、植木の手入れ方法でも、ペットの病気についても、私たちが日常で感じる疑問のほとんど全てをカバーしています。

学生がレポート作成の手助けを求めている例もありました。学習に役立つところも、インターネットの便利なところですね。上手に活用したいものです。

ただし、玉石混交《ぎょくせきこんこう》といって、ネット上の情報の全てが正しくて、良質な情報ばかりではありません。ガセネタやフェイク、間違った情報もたくさんあります。誤情報に基づく噂やデマでも、たくさん拡散しています。そのため、ネット上の情報の9割は、コピーされたものだともいわれています。

ＱＡサイトでは、「専門家が質問に答えているとは限らない」ということも肝に銘じておきましょう。仮に回答内容が間違っていたとしても、誰も責任をとってくれません。

回答内容を信じるか信じないかは、利用者の自己責任になります。

回答者の中には教えたがり屋がいて、間違った情報を知ったかぶりで回答しているケースもあります。そんな回答を鵜呑みにすると、大怪我をすることになりかねません。特にネット中傷への対処については、ＱＡサイトを使わずに、専門家から助言を受けてください。

ある人がＱＡサイトで、中傷投稿への対処を質問していました。

その質問に対して、ある回答者は、「中傷投稿を消したければ、削除依頼フォームで申請せよ」とアドバイスしていました。この回答は無責任で危険です。回答者はネットで削除依頼フォームでの手続きを見つけて、「これを使えばいい」と思ったのかもしれません。

この回答を真に受けて、質問者が削除依頼フォームを提出すると、大やけどをする危険があります。そんなときも、「信じた方が悪い」「自己責任だ」ということになってしまいます。**削除依頼フォームでの削除申請には慎重に**あたらなくてはなりません。

ネットにある「削除依頼フォームを使え」という無責任なアドバイスに、騙されないでください。安易に削除依頼フォームを提出すると、申請した情報が公開されることがあるのです。

その結果、「あの野郎、削除依頼しやがった！」ということになって炎上を招き、問題がいっそう大きくなり悪化してしまうのです。

こじれてしまえば、ますます削除ができなくなります。

実際にある有名なネット掲示板では、正式な手続きとして削除依頼フォームが用意されています。しかし、そのフォームが提出されたところで、削除される保証はありません。

逆に申請内容が掲示板上に公開されて炎上を招きます。

削除依頼フォームを使うのか否かも含めて、ネット人権侵害の専門家の助言に従ってください。ネット中傷が、削除依頼フォームの提出で簡単に解決するくらいならば、命を落とすほど悩む人が出るような深刻な問題にはならないはずです。

なお、メールでの削除依頼の窓口が用意されている場合は、メール本文が公開されることがないようです。ただし、個人からの削除依頼にはほとんど応じてもらえません。

弁護士から発信してもらうことをオススメします。

ANSWER

安易に使うと公開されて新たな中傷を生む。

7 削除を求める手続き

お悩み

中傷投稿を消したい。方法はありますか？

ネット上に残された中傷投稿は不快です。一刻も早く消したいですよね。そのままにしておくと他の人にも見られるので、消したいと思うのは当然です。しかし、ネット上にある書き込みの削除は、簡単ではありません。また、削除することには炎上リスクや、新たな中傷というリスクも伴いますから、慎重に取りかかる必要があります。

❶投稿者に削除要求

投稿者が知り合いで、連絡が可能ならば、本人に「消してほしい」と伝えることができます。もしも知り合いでないのなら、連絡することはお勧めできません。通常は、ネットへの中傷投稿は匿名で行われることが多いので、相手が誰なのかさえわかりません。

確かにツイッターやインスタグラムの場合は、ＤＭ（ダイレクトメッセージ）で匿名の相手に連絡することが可能です。でも、本人に直接メッセージを送ることは慎重に行ってください。また、投稿があったネット掲示板上で抗議したり、削除を求めることも要注意です。相手は匿名をいいことに、さらに強く言い返してくることがあるからです。

❷運営会社に削除依頼

ネット掲示板やブログの管理者、SNSなどのサービス事業者に削除を申請します。たいていは削除の手続きや、削除依頼フォームが用意されています。申請内容がネットに公開されることがあるので事前に調べましょう。公開されると炎上を招く恐れがあります。また、**SNSの運営会社の多くは米国に本社**があります。英文での手続きになるかもしれません。

❸プロバイダ責任制限法に基づく手続き

削除を求めるための様式「送信防止措置依頼書」が用意されています。誰でもがネットから入手できます。必要事項を記入してプロバイダに内容証明郵便で送ります。プロバイダから連絡が可能な場合は、プロバイダが発信者に対して意見聴取を行います。これがきっかけで削除されることがあります。弁護士費用もかかりません。ダメモトで試してみるとよいでしょう。

❹法務局から削除要請

法務局に被害を申告して助言を求めます。被害者本人がプロバイダに削除申請したのに拒否された場合、法務局から削除要請がされることがあります。ただし、削除要請には強制力がないため、削除される保証はありません。

⑤削除の仮処分命令の申し立て

確実に削除できる方法が、裁判所への削除仮処分の申し立てです。発信者本人に対してではなく、サービス提供事業者に対して削除を求めるので、発信者が特定されていなくても可能です。弁護士の支援を受けることになりますので、削除には費用と時間と手間がかかります。

⑥民事訴訟

裁判で削除と損害賠償を求めます。ただ、この手続きの前に、投稿者を特定しておかなければなりません。そのため弁護士に依頼して、発信者情報の開示を求めることからスタートします。

ANSWER

削除の手続きはある。立ち向かう覚悟が必要です。

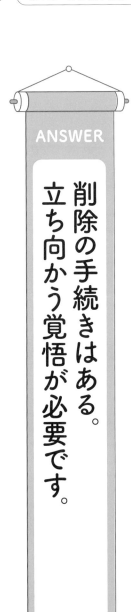

第1章の注

（注1）２０１７年にネット掲示板「2ちゃんねる」から名称を変更した。

（注2）表現の自由。憲法21条1項が保障している。

（注3）言論の自由。憲法21条1項が保証している。

（注4）ブログやネット掲示板、ＳＮＳなどのサービス事業者をコンテンツプロバイダまたはサービスプロバイダともいう。これに対して、インターネット接続事業者をアクセスプロバイダまたはインターネットプロバイダ（ＩＳＰ）ともいう。

（注5）２０１９年8月10日に常磐道で発生した事件。道路交通法に「あおり運転（妨害運転）罪」が新設される契機の一つになった。

（注6）特定電気通信役務提供者の損害賠償責任の制限及び発信者情報の開示に関する法律。２００２年5月施行。

（注7）非営利団体インターネット・アーカイブが２００１年から運用しているデジタルアーカイブ。
https://archive.org/

第2章

発信者の特定

1 IPアドレスで個人特定

お悩み

匿名でもＩＰアドレスで個人を特定できるのでしょ？

ＩＰアドレスなんていう技術用語をよく知っていましたね。

その通り、インターネットではＩＰアドレスが使われています。ＩＰアドレスは、インターネットに接続したときに、契約しているプロバイダから割り振られる番号のことです。「101.111.192.234」のように４組の数字の組み合わせで表されます。

スマホやパソコン、ゲーム機など、どんな機器でもインターネットに接続すれば、必ず割り当てられます。しかも、他の人の機器とダブることはありません（注１）。

原則として、インターネット上に一つだけ存在するので、ワンクリック詐欺では利用者に誤解させるような説明をします。

「あなたのＩＰアドレスを取得しました。ＩＰアドレスはネット上の住所のようなものです」

詐欺犯は、あたかもあなたのことを特定したかのように脅かしますが、心配ご無用です。

ＩＰアドレスは秘密の番号でも何でもないのです。

ネットに接続すれば必ず割り当てられて、あなたにも接続先にもわかるようになっています。接続先のサイトは、あなたのＩＰアドレスがわかるから、ホームページのデータを間違いなくあなたに届けているのです。そして、ホームページがあなたのスマホやパソコンの画面に表示されているのです。

「それならば匿名で投稿しても、誰が投稿したのかわかるのでは？」と思いますよね？

その通り！　ＩＰアドレスがあれば、「技術的には」発信者を特定できます。問題は、そのＩＰアドレスの入手なのです。

ＳＮＳに中傷コメントが投稿されたとします。ＩＰアドレスは投稿されたＳＮＳのサービス事業者（ツイッターやインスタグラムなど）にアクセスログとして記録されています。

ブログやネット掲示板の場合も、サービス事業者（アメーバブログや5ちゃんねる掲示板など）に記録されています。投稿日時と投稿内容をもとに、アクセスログから、そのときに投稿者に割り振られていたＩＰアドレスがわかります。

しかし、被害者がそのＩＰアドレスを入手しようとしサービス事業者に要求しても、拒否されます。そこで、開示のための裁判手続きが必要になるので、当然、**弁護士費用や時間、手間がかかる**のです。

また、裁判手続きで何とかIPアドレスを入手できても、それは数字の羅列にすぎません。

今度は、IPアドレスから個人情報を突き止めなければなりません。IPアドレスから投稿者が使ったインターネット接続事業者、いわゆるプロバイダがわかります。

次は、そのプロバイダに対して**契約者情報の開示**を求めます。これは個人情報ですから、普通に求めても拒否されるので、ここでも裁判手続きが必要になります。

このように被害者がIPアドレスを入手し、発信者を特定するまでには裁判手続きがあり、決して安くない費用と長い時間がかかります。

こんなに苦労しても、アクセスログが保存されていなかったりすると、残念ながら**相手を特定できないケースもある**のです。

技術的には可能であっても、そして手続きが用意されていても、被害者が特定しようとすると、現実的には高い壁が存在していて、特定に至らないこともあるのです。

ANSWER

技術的には特定される。でも、高い壁がある。

2 発信者を特定する手続き

お悩み

投稿者を知りたいです。私にもできますか？

インターネットへのアクセスログを使えば、「技術的には」投稿者を特定できます。もっと正確にいうと、インターネット接続事業者（いわゆるプロバイダ）と契約した契約者がわかります。「技術的には」と表現したのは、特定までにたどり着けないケースもあるからです。

裁判の手続きが伴うので、発信者特定を被害者個人が行うことは困難です。どうしても特定したい場合は、弁護士に依頼することになります。相当の費用や時間、手間がかかることを覚悟しなければなりません。

時間は半年から1年、費用は50～100万円くらいを覚悟してください。そして、特定できないことがあることも知っておいてください。

投稿者を特定するまでのプロセスは、次のようになります。

❶IPアドレスの入手

書き込みが行われたときのIPアドレスを入手します。サービス事業者であるコンテンツプロバイダに対して、IPアドレスの開示を求めます。「5ちゃんねる掲示板」の場合は、「5ちゃんねる」へ、「ツイッター」が使われた場合は、「ツイッター社」に対して行います。

❷仮処分での開示請求

IPアドレスの開示要求に対して、サービス事業者は通常は拒否します。そこで、裁判所に対して発信者情報開示の仮処分を申し立てます。この手続きは弁護士の助けを借りることになります。

❸アクセスログの保存

サービス事業者がアクセスログを保存する期間には定めがありません。通常の保存期間は3か月から6か月といわれています。これに対して、発信者情報を得るまでの裁判手続きは半年から1年かかります。手続きの間にアクセスログが消去されてしまうことを防ぐために、ログ保存の仮処分の申し立てを行います。アクセスログの保全を裁判所から命令してもらいます。

❹契約者情報の開示請求

IPアドレスが入手できれば、投稿者がインターネットを利用する際に使ったインターネット接続事業者（プロバイダ）が判明します。次は、このプロバイダに対して、契約者情報の開示を請求します。開示請求があると、プロバイダは、当該の契約者に対して、「開示に同意するか否か」を尋ねる意見照会書を送付します。この照会書に同意する人はほとんどいませんから、プロバイダは容易に開示できません。

❺裁判での開示請求

プロバイダには開示の判断ができないので、実務上は、裁判手続きが必要になります。裁判でプライバシー侵害や名誉毀損が認定されれば、プロバイダに対して　開示命令が出ます。

❻投稿した者の特定

こうしてインターネット接続の契約者が判明します。契約者本人が投稿したと考えられますが、保護者が契約していて、子どもが使用しているというケースもあります。

ANSWER

弁護士のサポートが必要。費用、時間、手間がかかる。

3 総務省の研究会

お悩み

被害者が救済されるような法制度にならないのですか？

現行の法制度は、ネット中傷の被害者を救済できているとはいえません。

もしも、被害者が書き込みの削除や発信者の特定を求めたならば、**多額の費用**、**多大な労力**、**長期間の手続き**を強いられることになるのです。しかも、それらの苦痛に耐えたとしても、**書き込みの削除や発信者の特定ができる保証はない**のです。

これまで国は、現行の法制度でネット中傷に対応できるとしてきました。

つまり、「プロバイダ責任制限法で権利侵害情報を削除できる」「発信者情報も開示できる」「民法上の損害賠償請求が可能だ」「刑法上の名誉毀損罪や侮辱罪がある」としてきたのです。

しかし、これらの救済方法が、被害者にとって実行可能な解決策になっていないことには目を向けてきませんでした。

「何人が命を落としたら検討してくれるのですか？」

これは被害者の悲痛な生の声です。

インターネット上では、匿名を隠れ蓑にした誹謗中傷が横行しています。そして、加害者は、「プライバシー保護」と、「表現の自由」のもとに保護されています。一方、被害者は、削除にしても発信者特定にしても、大きな苦痛を強いられているのです。サービス事業者が用意している削除の手続きを使っても、現実的には思うように削除できません。そのため、被害者は、コンテンツプロバイダに開示請求してIPアドレスを取得し、アクセスプロバイダに開示請求して契約者情報を取得し、投稿者に対して削除を要求するという、3回もの裁判手続きを余儀なくされています。

3回もの訴訟手続きにかかる苦痛と、訴訟費用の経済的な負担、そして見合うことのない損害賠償金の金額を考えれば、被害者の泣き寝入りを招いているだろうことは容易に想像できます。

このような状況に対して、情報開示の手続きを見直すために、総務省の「発信者情報開示の在り方に関する研究会」（注2）が組織され、、発信者情報開示の対象情報や手続きについて、議論が行われました。その結果、開示対象の情報に電話番号を追加することになりました。

これは法律の改正ではなく、総務省令の変更です。

コンテンツプロバイダから電話番号が開示されれば、削除までの裁判手続きが3回から2回になります。取得した電話番号をもとに、携帯電話会社に弁護士照会制度（注3）で契約

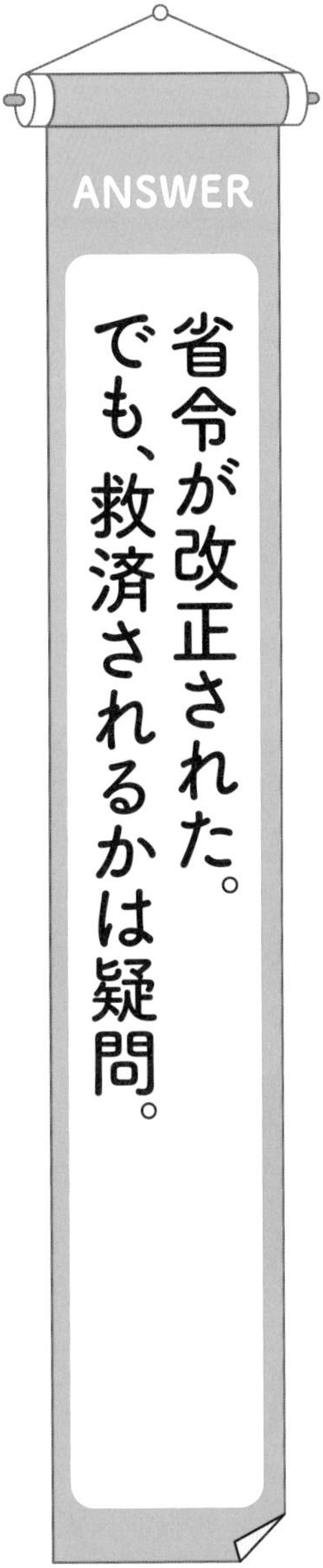

ANSWER
省令が改正された。
でも、救済されるかは疑問。

者情報の回答を求めることができるからです。

でも、この改正がもたらす効果は不明です。

なぜなら、多くのＳＮＳでは、利用登録の際に電話番号を必要としていません。メールアドレスだけの登録で利用できます。

また、たとえ電話番号が追加されて、３回の裁判が２回になったとしても、被害者の苦痛に変わりはありません。

実は、今回の改正については、すでに２０１１年6月の時点で、総務省の検証ＷＧが、「現時点で改正する必要性は特段見受けられない」としながら、「総務省令の改正を視野に入れた対応が考えられる」（注4）としていました。

研究会は10年前の提言を持ち出しただけなのです。

4 特定できないケース

お悩み

ネットには記録が残るから、投稿者を特定できますよね？

前半の部分は正しいです。ネットにはアクセスログという接続したときの記録が残ります。でも、後半の部分は疑問符です。アクセスログが残されるからといって、投稿者を必ずしも特定できるとは限らないのです。

❶アクセスログがない

アクセスログは、無期限で保存されている記録ではありません。保存期間には定めがなく、一般的には３か月から６か月といわれています。そもそも保存義務もありません。保存していない事業者さえいるのです。記録が残っていなければ、追跡もできなくなります。

❷ネットカフェ、公衆無線ＬＡＮ

インターネットに接続する設備を、不特定多数が共同で利用していた場合は、使っていた人の特定が難しくなります。ネットカフェや街中にある公衆無線ＬＡＮがそうです。ネットカフェの場合は、誰がどの端末を使っていたのかを、個人情報と共にしっかりと管理していなければ特定ができません。公衆無線ＬＡＮ、すなわち無量ＷｉＦｉの場合は、利用時にメールアドレスを登録することもありますが、それだけでは個人の特定は難しいです。

❸海外プロキシサーバー経由

日本の裁判所では、海外プロキシサーバー（注5）を相手に裁判を行えません。海外プロキシサーバーが使われていれば、必要なアクセスログの入手ができなくなります。

❹手続きの所要期間

ＩＰアドレスを入手するための仮処分命令の申し立てや、情報開示請求訴訟などで発信者特定の手続きには、数か月かかります。アクセスログは無期限に保存されないため、対処を検討していたり、特定するための手続きをしている間に、ログが消去されてしまうことがあり得ます。

❺弁護士費用

発信者情報の開示請求は、裁判手続きになるので、弁護士に依頼することになります。現実的には、その前のＩＰアドレスを入手する段階から弁護士の力を借りることになるでしょう。発信者の特定までの費用は、およそ１００万円かかるといわれています。発信者を特定できても、損害賠償の金額は通常１００万円以下です。費用のことを考えると、特定を断念する人も多いだろうと想像されます。

❻海外の事業者

発信者の特定は、アクセスログを入手することから始まります。ところが、海外のSNS事業者は、アクセスログを取得していない可能性があります。アクセスログや、契約者情報を海外事業者が管理している場合、日本に照会の窓口が設置されていなければ、入手するまでに長期間を要することになります。

このように「技術的な問題」「物理的な問題」「期間の問題」「費用の問題」などがあり、現実的に発信者を突き止めるまでには至らないことがあるのです。

ANSWER
通信記録が残っていても、必ず特定できるとは限らない。

5 通信記録の保存

お悩み

通信記録の保存は義務ではないのですか？

利用者が、インターネット経由で利用したときの通信記録を、アクセスログともいいます。ブログやネット掲示板、ＳＮＳなどのサービスを提供している事業者のサーバーに記録されていて、ネット中傷があったときには、発信者を特定するために必要なデータとなります。このデータがなければ、誰が中傷投稿したのかを突き止めることができません。

そんな重要なデータなのだから、「当然、保存されていますよね？」と思うのは当然ですが、実はそうでもないのです。通信記録について総務省はこういっています。

「本請求権は、先にも述べた通り、現にプロバイダ等が保有している発信者情報について開示の対象とするものであって、プロバイダ等に対して発信者情報等の保存を義務づけるものではない。むしろ、情報の適正な管理の観点からは、発信者情報のような個人情報については、プロバイダ等にとって保存の必要がない場合には、速やかに削除すべきものと考えられる」（注6）。

お上の言葉は相変わらず固いですね。これはつまり、「発信者情報は個人情報だから、すぐに消せ！」といっているのです。

総務省は、通信の秘密に係わるもの以外の個人データについて、「電気通信事業者は、個人データ（通信の秘密に係るものを除く）を取り扱うに当たっては、利用目的に必要な範囲で保存期間を定め、当該保存期間経過後又は利用する必要がなくなった後は、当該個人データを遅滞なく消去するよう努めなければならない」（注7）としています。

また、通信履歴の記録については、「電気通信事業者は、通信履歴（注8）については、課金、料金請求、苦情対応、不正利用の防止その他の業務の遂行上必要な場合に限り、記録することができる」（注9）としています。

要するに「原則保存するな！　業務上の必要がある場合のみ保存してもよいが、目的を達成した後は速やかに消去しろ！」なのです。

被害者救済のための保存については、業務上の必要とは考えていないようです。サイバー犯罪条約（注10）第16条「蔵置されたコンピュータ・データの迅速な保全」では、90日を限度として保全、維持することになっています。それ以上は保証されていません。

「被害者が発信者を特定するために必要な情報なのだから、被害者を救済できるように、一定期間は保存しなさい」といってほしかったですね。総務省の規定には、被害者救済という視点がないように見えます。

従って、通信事業者も、総務省の意向を忖度して、アクセスログを調査・確認すること自体についても、「表現の自由」、「通信の秘密」(注11)に対する侵害だとして、消極的な姿勢をとっています。

総務省が「保存するな、速やかに消去せよ」としていて、その意向を受けて事業者も、「調査確認をすべきではない」と考えているのですから、被害者救済が困難になるのは当然の結果です。アクセスログがないという状況は、犯罪捜査にも支障をきたしています。

警察庁は、「通信記録が保存されていないために、犯人の特定に至らない事件がしばしば見受けられる」(注12)と問題視しています。サイバー犯罪捜査に不可欠として、長期保存を求める警察庁に対して、総務省は、個人データであることを理由に、早期消去を主張しています。この平行線は現在でも解決していません。

ANSWER

保存は義務化されてない。削除することになっている。

第2章の注

（注1）Wi-Fiスポットでは IPアドレスが足りなくなることがあるため、自社内のネットワークで一つのIPアドレスを複数の利用者が同時に使用する仕組みにしているWi-Fiスポット管理会社もある。

（注2）第1回は2020年4月30日。座長は、曽我部真裕（京都大学大学院 法学研究科 教授）。

（注3）弁護士法第23条の2に基づき、弁護士会が、官公庁や企業などの団体に対して必要事項を調査・照会する制度。回答する義務がある。

（注4）プロバイダ責任制限法検証WG「プロバイダ責任制限法検証WG提言」2011年6月。

（注5）コンピューターに代わってインターネット接続を行う中継サーバー。

（注6）「特定電気通信役務提供者の損害賠償責任の制限及び発信者情報の開示に関する法律—解説」総務省、P・34。

（注7）「電気通信事業における個人情報保護に関するガイドライン」（平成29年4月18日総務省告示第152号）第10条第1項。

（注8）ここでいう通信履歴とは、「利用者が電気通信を利用した日時、当該電気通信の相手方その他の利用者の電気通信に係わる情報であって当該電気通信の内容以外のものをいう」「電気通信事業における個人情報保護に関するガイドライン」（平成29年4月18日総務省告示第152号）第10条第2項。

（注9）「電気通信事業における個人情報保護に関するガイドライン」（平成29年4月18日総務省告示第152号）第32条第1項、P・35。

（注10）サイバー犯罪に関する条約。個人情報保護とオンラインでの児童ポルノや著作権侵害を含むサイバー犯罪に関する対応を取り決める国際条約。2012年11月1日から日本国についても効力が生じている。

（注11）通信の秘密。憲法21条2項及び電気通信事業4条1項によって保障される。

（注12）「平成23年度版 警察白書」第3節 サイバー犯罪対策の抜本的強化に向けて。

第3章

中傷投稿への対処

1 誹謗中傷での逮捕

お悩み 誹謗中傷の投稿者を逮捕できないのですか?

匿名を隠れ蓑にした誹謗中傷は卑怯ですね。人としてやってはいけないことです。

実際にネット上で、「誹謗中傷をした」として逮捕された事例があります。

２０１９年９月に山梨のキャンプ場で、小学1年生の女児が行方不明になりました。

テレビでは懸命に捜索する母親の姿が報道されました。すると、ネット上で母親をバッシングする書き込みが始まったのです。

「悲劇のヒロイン気取ってんじゃねえよ！」

「子どもがいなくなっているのに髪切りに行ってるんですか？ 信じられない！」

多くの中傷投稿が行われた中で、自称投資家の男（69）が**名誉毀損容疑で逮捕**されました（注1）。自身のブログに、「育児疲れから自宅で殺し、悪天候を利用して行方不明を企て、募金詐欺をした殺人事件」と書き込んだものです。

逮捕されてからも「これが私の社会正義！」と供述していて、容疑を認めていません。

逮捕について少し補足の解説をしましょう。逮捕には3種類あります。**現行犯逮捕**と、**緊急逮捕**、**後日逮捕**です。

現行犯逮捕は、犯罪を犯した者が目の前にいて、逃亡を図ろうとしているときに可能です。警察官だけでなく、被害者本人や、一般の人でも犯人の逮捕が許されています。現行犯逮捕に逮捕状は不要です。

緊急逮捕は、罪を犯したことを疑うに足りる十分な理由がある場合で、「裁判官の逮捕状を求めることができないほど急を要しているとき」に可能です。緊急逮捕したならば、直ちに逮捕状を求める手続きをします。

後日逮捕は、法律上は通常逮捕といいます。捜査機関（注2）が裁判所に逮捕状を請求して行います。そのためには被害者が警察署に告訴する意思を伝え、警察部長が告訴状を書いて、必要な捜査を行い、起訴するという手順になります。警察署に駆け込んで「ネット中傷されている」と訴えれば、すぐさま警察官が逮捕に行く……というスピード感ではありません。

そもそも、**ネット上の誹謗中傷で告訴ができるか**という問題があります。ご紹介したように逮捕事例はありますが、現実には誹謗中傷で逮捕することは、なかなか難しい状況です。山ほどあるネット中傷に対して、逮捕にまで至るのは割合としては小さいのです。

ネット中傷を、「事件として扱うかどうか」の判断は警察次第で、仮に、警察が被害届を受理して、刑事告訴ということになれば、家宅捜索があります。被疑者には事前に日時が通告され、そこで逃亡する恐れがあれば、逮捕ということになるでしょう。

名誉毀損罪については、「常習ではない」「悪質ではない」と判断されれば、逮捕されないこともあります。名誉毀損罪は、被害者の告訴が必要となる親告罪です。

名誉毀損で処罰してもらうためには、まず被害者が告訴し、起訴することが必要です。起訴というのは、検察が裁判所に対して判決をするように求めることです。日本での有罪率は99・98％といわれているので、起訴できれば名誉毀損が認められるでしょう。

しかし、この起訴までの壁が高いのです。起訴するかどうかの判断は検察が行います。

名誉毀損行為で和解すれば、警察から取り調べを受けたり、逮捕された被疑者は、被害者との示談交渉を行い、和解すれば告訴の取り下げを求めることができます。

被害者が告訴を取り下げた場合、被疑者は検察庁において不起訴処分となります。

ANSWER

悪質ならば逮捕もあり得る。警察の判断による。

2 警察と誹謗中傷

ゲッソリ…
死ね
xxx
バカ
やめろ
xxx
もうどうしたらいいのかわからない…
あ!!
警察は…!?
○○けいさつ
交通安全
なんとかしてください…

お悩み

ネットで中傷されています。警察は何とかしてくれますか？

「バカ、ブス！」
「死んでしまえ！」

こんなひどい言葉をネットで投げつけられたら、誰でも傷つきます。やめてもらいたいですよね。そこで何とかしてもらいたくて警察に行ったとします。

警察署で被害の状況を説明すると、ちゃんと相談に乗ってくれます。

でも、相談に乗ってくれる以上のことは、あまり期待をしないでください。基本的に警察は、民間人同士のいざこざには介入しないことになっています。このことを**民事不介入**といいます。

民間人同士のいざこざは、当事者で解決することが原則なのです。

もちろん、犯罪であれば警察が対処します。警察は地域の治安を守らなくてはなりませんから、住民が被害を受けたり、生命が脅かされるような時は対処します。

物を壊されたとか、怪我をさせられたとか、金を騙し取られたとか、つまり、事故や事件、犯罪があれば、警察が動きます。

しかし、ネット上で中傷投稿をされただけで、まだ実質的な被害を何も受けていない段階では、警察はむやみに介入しません。個人間のいざこざは、当事者同士で解決することが原則だからです。もちろん、「危害を加えられる」という差し迫った危険が予見される場合には、**犯罪予防**として出動します。

当事者同士での解決が無理であることもよくあります。そのようなときは、裁判官と調停委員が間に入り、当事者の話し合いによって、トラブルを解決する**民事調停**という手続きがあります。これで合意ができなければ、最後には**民事裁判**によって決着をつけることになります。

警察は、違法行為や犯罪行為、住民の生命や財産が脅かされたり、脅かされると予見できる場合でなければ、おいそれとは動けません。

「誹謗中傷は立派な犯罪だ！　刑法にも**名誉毀損罪**があるじゃないか！」といいたくなるかもしれません。その通り、誹謗中傷の投稿は、建前上は名誉毀損罪という犯罪になり得ます。

ここが悩ましいところです。確かに名誉毀損罪になり得るのですが、すぐに名誉毀損罪と認定されて、処罰されるわけではないのです。処罰に至るまでには、被害者による被害届や、警察が事件にするという判断、検察による起訴などのハードルがあります。

「名誉毀損で訴えた」という報道があったら注目してください。名誉毀損罪ではなく、「名誉毀損行為に対して、損害賠償を求めた」というケースがほとんどなのです。

つまり、犯罪として扱ったのではなく、民法上の不法行為として扱った民事裁判なのです。

ネット上には誹謗中傷の投稿が山ほどあるのに、「投稿者が名誉毀損罪で処罰された」という事例をあまり聞きませんよね？

名誉毀損には、刑事事件としての名誉毀損罪と、民事事件としての名誉毀損行為があります。検察統計調査によると、名誉毀損罪として受理されている人数は、ネット上での名誉毀損を含めても年間でおよそ千名です。

実際には、処罰よりも慰謝料という傾向があるため、名誉毀損罪としての処罰よりも、損害賠償請求の民事事件として争われることの方が多いと考えられます。

ANSWER

犯罪であれば警察が対応するが、ネット中傷への対応は難しい。

3 被害に遭ったら

もういやだ!!
どうすれば
いいんだよ〜〜!
信じられない!
このト、サイテー!!
リツイート
するべき
犯罪!!
笑笑ww
よく生きてられるな
その言い方は
○○ですよ!!
ウソつき!
どうするつもり??

お悩み ネットで中傷されたら、どうしたらいいですか？

ネット上では、いつ誰が中傷被害に遭うのかわかりません。その意味では、**誰もが被害者予備軍**といえます。被害にあった場合にできる対処方法を紹介しますが、これらを全部やらなくてはならないということではありません。どれをやるのか、どこまでやるのかは、ケースバイケースです。悪質性や費用、時間、手間、被害者の意向によっても異なります。

対処方法を被害者にとって負担が小さいと思われる順に並べました。

対処の段階が進むにつれ、費用や手間、精神的な負担も大きくなります。万一、被害を受けたならば、慌てず焦らず冷静に対処してください。

一つひとつの対処方法については、それぞれ本書の中で具体的に説明しています。

❶無視する。（P86）

❷記録を残す。（P82）

❸検索結果に表示させないようにする。(P17)
❹相談窓口を使う。(P78)
❺削除を求める。(P38)
❻警告する。(P29)
❼法務局から削除要請する。(P30)
(ここから先は、裁判所を使った手続きとなります)
❽削除の仮処分命令を申し立てる。(P90)
❾発信者を特定する。(P48)
❿(刑事裁判)発信者を処罰する。(P120)
⓫(民事裁判)削除と損害賠償を求める。(P124)
⓬再発を防止する。(P166)

ネット上の書き込みを削除しようとすると、ちょっと大変な作業になります。

もしも投稿者に、「調子に乗って書いてしまったな」という気持ちがあれば、こちらからの削除の求めに応じて、「ごめんなさい」と削除してもらえることもあります。

でも、そんなケースばかりではないので苦労するのです。

❽の仮処分命令の申立からは裁判手続きになるので、弁護士に依頼することになります。弁護士に依頼したら、費用がいくらになるのか気になりますね。

費用は**実費**と、**弁護士報酬**とに分けられます。実費は、交通費、通信費、宿泊料などです。そして、弁護士報酬は、着手金、報酬金から成り立っています。２００４年４月から弁護士会が定める報酬規定が廃止され、その後は弁護士がそれぞれ費用を決めています。着手金は、基本料金で30万円くらいが目安で、報酬金は結果の成功の程度に応じて支払う**成功報酬**です。依頼者が得られる経済的利益の16％としている例が多く見られ、法律相談料は、1時間で5千円から1万円がほとんどです。

弁護士費用については、日本弁護士連合会がまとめた「アンケートにもとづく　市民のための弁護士報酬の目安」が参考になります。全国平均なので、あくまでひとつの目安として参考にしてください。

ANSWER

まず、記録の保存。慌てず、焦らず、冷静に。

4 相談窓口を使う

もしもし、どうすればいいんでしょうか!!
はい!お話しを聞かせてください!
フムフム
わかりました。ハイ、フムフム…
人権擁護委員

お悩み
どうすればよいのかわかりません。相談できるところはありますか？

ネットで中傷被害に遭ったときに、相談ができる窓口はいくつかあります。
地域には**人権擁護委員**（注3）がいて、人権被害の相談に応じています。ネット上での中傷投稿は人権侵害ですから、人権擁護委員も対応してくれます。相談を希望する場合は、法務局や地方法務局に連絡するとよいでしょう。

ネット人権侵害への対処には、インターネット特有の知識が必要です。

人権問題には同和問題や人種差別、女性蔑視などが古くからあります。

これらの人権問題に比べると、インターネットを悪用した人権侵害は歴史がまだ浅く、かつインターネット自体の進歩が速いために、ネット人権侵害に対応できる人材は、他の人権問題に比べると多くはありません。

相談に応じてくれた人権擁護委員が、ネット人権侵害に詳しくないこともあります。

どう対処すべきかは、ネット人権侵害に詳しい専門家のアドバイスに基づいた方が安全です。ネット中傷への対処は簡単ではありません。決して、ネットから得た程度の知識で動いたり、QAサイトでの回答に頼ってはいけません。間違った対処をすると大やけどをすることになります。

ネット人権侵害の専門家は次の機関にいます。

❶法務省 人権擁護機関（法務局、地方法務局）（注4）

法務省人権擁護局と、その地方支分部局である法務局、地方法務局、支局と、法務大臣が委嘱する人権擁護委員とを合わせて、**法務省の人権擁護機関**です。法務省と法務局は、人権擁護委員が組織する人権擁護委員連合会と、人権擁護委員協議会と協力して、さまざまな人権擁護活動を行っています。

❷違法・有害情報相談センター（総務省支援事業）

インターネット上の違法・有害情報に対し適切な対応を促進する目的で、関係者からの相談を受け付け、対応に関するアドバイスや関連の情報提供を行っています。

インターネット上の誹謗中傷、名誉毀損、プライバシー侵害、人権侵害、著作権侵害などに関する書き込みへの対応や、削除要請方法、その他トラブルに関する対応方法などについて案内しています。

❸ セーファーインターネット協会

違法・有害であると見なしたデータについて、日本国内・国外問わず、インターネットサービスプロバイダや、サイト管理者に削除要請をしています。いじめ動画像や、リベンジポルノといった個人に対する権利侵害への対応に重点を置いています。誹謗中傷ホットラインを運営していて、被害者に代わって国内外のプロバイダに削除依頼の申請もしています。

被害の記録をしっかり残しておき、客観的な証拠を示して相談しましょう。そうすることで被害状況を正しく伝えることができます。

「窓口に相談することですべての問題が解決する」という期待は禁物です。

窓口では相談に乗ってくれて助言をもらえますが、原則として、解決のためのさまざまな手続きを行うのは被害者本人です。発生する費用を負担するのも被害者本人になります。

ANSWER

公的な相談窓口があります。専門家から助言をもらいましょう。

5 記録を残す

●●●●●●@●●●●●
大丈夫?この人って
モロ犯罪じゃない!?
●●●●
この人もはや
ヤバイ人決定!!
●●●●●
説明しろ!!
●●●●●●
笑笑
死んでくれ〜!
コレ、見てよ…
カーッ!
もう、どうすればいいのか…
ひどい!!
証拠を残すのよ!!
スクショするのよ!!
わ、わかった!!

お悩み

中傷投稿の証拠をスマホでも残せますか？

ネット中傷をされたときは、スマホ画面の中で発見することが多いと思います。**スマホでも証拠を残すことができます。**

中傷被害に遭ったら、まず証拠を残してください。客観的な証拠があると、相談相手に説明した時に状況が正しく伝わります。そして、裁判ということになったときには、証拠として提出できます。投稿内容だけでなく、投稿日時や投稿先サイトのアドレスも、一緒に記録してください。**紙に印刷して残すことが基本**になります。

次のようにすると印刷ができます。

＜パソコンで記録を残す方法＞

パソコン画面上に表示されていれば印刷できます。次のように設定すると、日付やアドレスも一緒に印刷されます。

● **マイクロソフト　エッジ（Microsoft Edge）を使っている場合**

メニュー「印刷」→「その他の設定」→「ヘッダーとフッター」

● **インターネットエクスプローラー（Internet Explorer）を使っている場合**

メニュー「ファイル」→「ページ設定」

ヘッダーやフッターに日付やurlを設定できます。

設定できたら、ＯＫボタンをクリックした後、メニュー「ファイル」→「印刷」

● **グーグルクローム（Google Chrome）を使っている場合**

メニュー「印刷（Ｆ）…」→「詳細設定」→「ヘッダーとフッター」

これらの方法が使えなくても大丈夫です。キーボードにある[PrtSc]キーを押すと、パソコン画面がキャプチャーされます。ペイントやＷｏｒｄを開いて「貼り付け」をすれば、保存も印刷もできるようになります。

＜スマホで記録を残す方法＞

スマホ画面上に表示された書き込みは、画像としてスマホ内に保存できます。

画面を画像にして保存する機能が**スクリーンショット**です（略してスクショともいいます）。スマホの2か所のボタンを同時に押します。どのボタンを押すのかは、機種によって異なりますので、ネットか、取扱説明書で確認してください。

●iPhoneでスクショする方法

・ホームボタンがない機種……電源ボタンと音量アップボタンを同時に押して指を離す。
・ホームボタンがある機種……電源ボタンとホームボタンを同時に押して指を離す。

どちらの場合も、指を離すときに撮影されます。

●Androidでスクショする方法

電源ボタンと音量ダウンボタンを同時に長押しする。iPhoneとは異なり、Androidでは「長押し」で撮影されます。ただし、Androidスマホも機種によって操作方法が異なることもあるので、ネットや取扱説明書で確認してください。

スクリーンショットによって、スマホ画面がスマホ内に保存されます。

保存した画像をメール添付でパソコンに送れば、パソコン側のプリンタで印刷もできます。

ANSWER

スマホでもスクリーンショットを使えば保存できる。

6 無視する

もう、アンチコメントがすごいんだよ〜〜
そんなの無視、無視一っ!!
アハハ
気にしない、気にしない!!
…もう〜
無視なんてできないんだよ…

お悩み

友人は「無視しろ」といいます。私は許せません。

人を批判する投稿のことを、アンチコメントといいます。

悪意を持って書かれた否定的なコメントは、された側にしてみれば気持ちのよいものではありません。誤解をもとに決めつけがされていると、いっそう嫌な気持ちになります。そのコメントを読んだ他の人も誤解するかもしれません。気になるのは当然のことです。アンチコメントは、他の好意的なコメントを帳消しにするほどの負の力があります。

アンチコメントのことを、「スープに入り込んだハエ」に例えた人がいました。1匹でも料理を台無しにするのです。１００人のうち99人が好意的な意見をいってくれたとしても、たった1人が否定的な意見を述べれば、気分はブルーです。受け取った側の気持ちは暗くなります。ネガティブな意見が持つ負のエネルギーは、とても大きいからです。

「マイナスがプラスを凌《りょう》駕《が》する」ともいわれます。たった1％のアンチコメントでも、他の99％を台無しにするほどの負の力があるのです。

アンチコメントが匿名の人物からの投稿だった場合、まずは取り合わないことを勧めます。つまり、無視です。

もしも、関係者からの意見だったならば、今後に向けた改善の材料になるかもしれません。ありがたい忠告の一つと考えれば、あながちマイナスばかりではないでしょう。

しかし、どこの誰だかわからない、匿名の投稿者の意見だった場合は別です。取り合っていると、無駄なエネルギーを消耗します。余計な時間を浪費します。

ただし、執ように繰り返されたり、他の人を巻き込むような事態であれば、対処しなければなりません。ネットリンチ、私刑、公開処刑、コメントスクラム、といわれる集団でのバッシングに発展するようならば、なおさら問題です。生活や仕事に影響しますし、関係者にも迷惑がかかります。穏やかな生活が脅かされるのならば対処します。

まず、ヤフーやグーグルの検索結果に表示されないようにしましょう。

非表示にする手続きがネット上にあります。この手続きがうまくいかなければ、プロバイダ責任制限法に基づいて、送信防止措置依頼書をサービス事業者に内容証明郵便で送ります。

この手続きでサービス業者がアンチコメントを削除する保証はありませんが、連絡先がわかっている場合は、投稿者に削除の可否を問う照会が行われます。

投稿者に良心があれば、この照会をきっかけに自ら削除することが期待できます。

やってはいけないことは、ネット上でまともに相手をして言い返すことです。

誤解があるからといって釈明すると、相手は匿名をいいことにさらに強く反論したり、揚げ足取りをします。事態が悪化してドロ沼に化す危険があります。投稿者と直接やり合うのではなく、誤解があるのならば、正しい情報を掲載し、あとは相手にしないことです。

それでも繰り返される場合は、このまま無視を続けるのか、立ち向かうのかの決断をしましょう。

泣き寝入りは、あなたを幸せにしません。

立ち向かう覚悟ができたならば、「中傷に対しては法的手続きを行います」と警告し、ネット人権侵害の専門家に相談しましょう。

ANSWER

投稿者を相手にしない。繰り返すなら警告する。

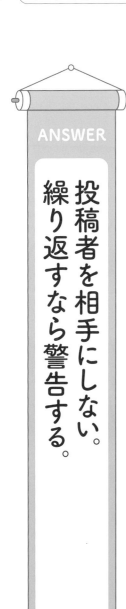

7 削除の仮処分命令

消してください!
ドン!
ドン!
消してください!
消してください
消してください!!
消してください。
いいですよ
ホントですか!?
ヤッター!!
削除できたー!!
がんばってよかった!!

お悩み

削除を申請しました。でも、削除されません。

「サービス事業者に対して削除の手続きを行いました。利用規約やガイドラインに違反しているはずなのに削除されません。自分に対する誹謗中傷が、ネットに残っていることは苦痛です。気持ちが安らかになりません！」

という被害者は多いようです。確実に削除する方法は２つあります。

１つ目は、**裁判所に削除の仮処分命令を申し立てるという方法**、２つ目は、**民事裁判で損害賠償と同時に削除を求めるという方法**です。どちらも裁判所の手続きになりますから、弁護士に依頼した方がよいでしょう。

通常の民事訴訟には時間がかかるので、１つ目の仮処分の手続きの方が迅速です。

名称は「仮」処分命令となっていますが、裁判に勝訴したときと同じ効力があります。

相手が削除に応じない場合には、強制執行の手続きを取ることもできます。

＜申し立て＞

名誉毀損やプライバシー侵害を理由として、裁判所に削除の仮処分を申し立てます。この手続きは投稿者が匿名であっても可能です。サービス事業者に対して、削除の仮処分命令を申し立てるからです。被害の証拠として中傷投稿のプリントアウトを提出します。

＜審尋＞

申し立てが行われると裁判所は、申立人（被害者、債権者）とサイト運営者を呼び出して、双方から言い分を聞きます。これを審尋《しんじん》といいます。呼び出しには弁護士が対応します。

仮処分では、通常の裁判ほど厳密な証明が求められないため、「いちおう確からしい」程度の証拠でよいとされています。ツイッターなど外国法人の場合は、ＥＭＳ（注5）で呼び出すため、２週間から３週間先に双方審尋期日が設定されます。サイト運営者が立ち会わないこともあります。

＜立担保＞

申し立てに理由があると裁判所が認めれば、申立人は担保金を法務局に供託します。これを供託金ともいいます。金額は30～50万円で、通常は後に還付されます。

＜仮処分命令の発令＞

裁判所から削除の仮処分命令書が出ます。申し立てから発令まで、1～2か月かかります。交付された命令書を相手方に提示すれば、たいていは速やかに削除されますが、日本支社に削除の権限がない外国法人の場合は、削除に2～3週間かかることもあります。

手続きは訴訟と異なり非公開で行われます。裁判の当事者が誰かということも、利害関係者でなければ通常は知ることができません。相手が削除に応じないときは、強制執行の手続きを取ることが可能です。そして、削除するまでの間、相手に**制裁金**を支払わせることもできます。仮処分命令の申立てという裁判手続きは、案件ごとの手続きになります。「中傷投稿を確実に削除する方法」なのですが、残念なことに、拡散や転載された書き込みを一括して削除する手続きはありません。弁護士費用も発生します。

ANSWER
確実に削除する方法は、裁判所の仮処分命令です。

第3章の注

（注1）２０２０年10月。千葉県警成田署に逮捕された。

（注2）検察官、検察事務官、司法警察職員（警察官・麻薬取締官・海上保安官・労働基準監督官など）。

（注3）約1万4千人が法務大臣から委嘱され、全国の市区町村に配属されている。無報酬の民間ボランティアである。

（注4）法務局（人権擁護部）8か所、地方法務局（人権擁護部）42か所。

（注5）ＥＭＳ：Express Mail Service。国際スピード郵便。世界１２０以上の国や地域に送れる国際郵便。

第4章

ネット時代の法制度

1 プライバシー侵害の違法性

お悩み
旅行写真を無断で投稿された。プライバシーの侵害では？

私生活上のことや人に知られたくないこと、あえて隠していることなどを本人に無断で明らかにする行為は、もちろんプライバシー侵害です。モラルに反しています。旅行が仕事上の出張ではなく、プライベートの旅行だったのならば、旅行に行ったことは紛れもなくプライバシー情報になります。

多くの人がＳＮＳを使うようになってから、自分の日常を写真に撮って投稿する人が増えました。自分で自分の私生活をネット上にバラまくことは、本人の自由ですからとやかくいえません。大人は自己責任で掲載してください。でも、人の私生活までバラまいちゃいけません。

「いつ」「どこで」「何をしていたのか」ということは私生活上の事柄ですから、プライバシー情報です。また、人に知られたくないこと、隠していることも、その人のプライバシーです。

ところが、それらの情報を本人に無断で掲載する行為は、違法ではないのです。

なぜかというと、プライバシー侵害を違法とする根拠の法律がないからです。

刑法にプライバシー侵害罪はありません。違法とする根拠の法がないので、プライバシー侵害は違法にはならないのです。

無断で他人の学歴や病歴、年収を公表しようとも、女性問題をバラそうとも、出自を明らかにしようとも、このような行為を法的に禁止したり、制限したり、罰則を与えることもできないのが現状です。

現在のところ、プライバシー侵害は、法が規制しているのではなく、ひとえにネット利用者のモラルに委ねられているのです。でも、人のモラルに委ねることがいかにアテにならないかは、私たちの社会を見ればよくわかります。

歩きタバコがこれほどいわれているのに、未だに歩きタバコがなくならない。

電車内での通話がこれほどいわれているのに、未だに電車内での通話がなくならない。

歩きスマホがこれほどいわれているのに、未だに歩きスマホがなくならない。

人々のモラルに委ねることがいかに危ういことなのかは、ネット上にも同様に反映されています。残念なことに、世の中にはモラルを守る良識のある人ばかりではありません。

テレビでの報道を見てください。

河川敷で禁止されているゴルフ練習をしたり、立ち入り禁止エリアで釣りをしたり、迷惑行為をする人は世の中にたくさんいます。

もちろん、ほとんどの人はモラルを守っています。しかし、どんなに訴えても、社会には、モラルを守らない人が一定数は存在するというのが悲しい現実です。

そのためにトラブルも後を絶ちません。

プライバシー侵害に拘留や罰金など刑法上の処罰はありませんが、被害者には損害賠償の請求が認められています。つまり、「プライバシーを侵害された」として、民事訴訟で損害賠償を請求できます。

ただ、民事裁判には弁護士費用がかかります。弁護士費用は、一般的にプライバシー侵害で認められる損害賠償金よりも高くなりますから、赤字になることを承知して訴える必要があります。

ANSWER

プライバシー侵害は違法ではない。モラル違反です。

2 個人情報の無断掲載

そういえば
おまえの名前が
○○サイトに
載ってたぞ〜
え!?
ほら。
え!?
なんで
こんな事に!?
名前 ○山太郎
生年月日 ○年○月○日
出身 東京
学校 ○○大学2年
メルアド ○○○@○○co.jp
……

お悩み

名前を勝手にネット掲載するのは法律違反ではありませんか？

「私の名前が勝手に使われている！　勤め先や学校名も一緒に出ている！　いったい誰がこんなことを!?」

勝手に人の名前をネットに書いてはいけません。その行為は、個人情報の無断掲載です。ネットでやってはいけないことの一つです。

個人情報をネット上にさらされると、よいことはありません。悪用されることがあります。変なセールスに使われたり、自宅を知られてストーカーされたりするかもしれません。とても不安になりますよね。実際に、事件とはまったく関係ないのに、関係者だとしてネット上で名指しされて、仕事や生活に大きな影響を受けた人が何人もいます。

こんなに迷惑な行為なのだから、「個人情報を本人に無断でネットに書くことは禁止されているのでしょう？」「法律に違反しているんでしょう？」と思いますよね。

でも、知っておいてください。個人情報の無断掲載は法律に違反していないのです。

なぜかというと、無断掲載を違法とする根拠の法律がないのです。「法律がないというのはおかしいじゃないか。ちゃんと個人情報保護法（注1）があるはずだ」と気がついた人は勘がいい方です。しかし、個人情報保護法が対象にしているのは、事業者なのです。ネットの個人利用者は対象になっていません。

そのため、一般のネット利用者が町内会名簿を無断でネットに公開しようとも、卒業生名簿を掲載しようとも、何万人の住所録をダウンロードさせようとも、そのような行為を法的に禁止したり、制限したり、罰則を与えることもできないのです。

いまできることは、「載せないでください」とお願いすることしかないのです。「個人情報の無断掲載はプライバシー侵害だ！」といいたいかもしれません。ところが残念なことに、**プライバシー侵害も法律違反ではありません。**

刑法にはプライバシー侵害罪がないのです。個人情報の無断掲載もプライバシー侵害も、法が規制しているのではなく、**利用者のモラルに委ねられている**のです。

社会の人々が、全員モラルを守るとは限らないので、やはり危うい状況だということです。それでも、やりたい放題というわけではありません。法律上の処罰ができないとしても、被害者は損害賠償を求めることができます。ただ、ここでも残念なお知らせがあります。**個人情報の価値がとても低い**のです。かつて京都府宇治市で発生した、「住民基本台帳データの流出事件」に対して、住民が集団で慰謝料を求めて提訴したことがあります。大阪高等裁判所が命じた損害賠償の金額が初めての司法判断となりました（注2）。そのときの金額が、**住民一人当たり慰謝料1万円**（別途、弁護士手数料5千円）なのです。

この金額がいまでも個人情報の相場になっています。

損害賠償を求める民事裁判の費用は、この金額よりも何倍もかかります。

裁判費用の大部分は弁護士費用です。弁護士の料金は、基本料金である着手金と、出来高払いとなる報酬から成り立っています。弁護士費用については、「被害に遭ったら（P74）」で解説していますから、参考にしてください。

このような状況なので、損害賠償を求める訴訟は、赤字覚悟にならざるを得ません。

ネットへの個人情報の無断掲載は、法が規定しているのではなく、ネット利用者のモラルに委ねられているのです。

ANSWER

法ではなく、ネット利用者のモラルに委ねられている。

3 ヘイトスピーチの規制

お悩み 外国人を差別する投稿は違法ではないのですか？

どこの国に生まれようとも、なに人であろうとも、差別をしてよい理由にはなりません。学校教育でも差別はいけないことだと教えています。それなのにスピーカーを使って他国の人を罵るデモが、路上で堂々と行われています。かつての教え子が「○○人は死にさらせ！」と叫ぶ姿を学校の先生が見たら、ガッカリすることでしょう。

民族、人種、国籍に対する憎悪表現を「ヘイトスピーチ」といいます。

「差別はダメだ」といいながら、日本にはヘイトスピーチを規制する法がありません。

２０１４年８月に、国連の人権差別撤廃委員会は、日本政府にヘイトスピーチを法律で規制するように勧告しました。この勧告を受けて、日本はヘイトスピーチ規制法（注3）を作りました。ところが、ヘイトスピーチ規制法とはいうものの、実はヘイトスピーチを規制していません。この法律には、禁止事項も罰則規定もない、理念法だからです。確かに理念は必要かもしれませんが、理念だけではヘイトスピーチはなくなりません。

現実として現場では困っていますので、一部の自治体は独自に条例で規制しようとしています（注4）。

法務省は次のように、「不当な差別的言動」の具体例を自治体に提示しました（注5）。

＜脅迫的言動＞

「○○人は殺せ！」「○○人を海に投げ入れろ！」

＜著しい侮辱＞

特定の国・地域の出身者を蔑称《べっしょう》で呼ぶ。差別的・軽蔑的な意味で、「ゴキブリ」などに例える。

＜排除の扇動＞

「○○人はこの町から出て行け！」「○○人は祖国へ帰れ！」「○○人は全員犯罪者だから日本から出て行け！」「○○人は日本を敵視しているから出て行くべきだ！」

これらの表現をネットに掲載することは、人種差別、民族差別になりますが、法が禁止していないので、違法行為にはなりません。ヘイトスピーチについては、各国の取り組みに温度差があります。ドイツの規制が一番厳しいようで、刑法でヘイトスピーチを禁止していて罰則もあります。表現の自由よりも、人権を優先させている点が特徴的です。

また、ネットワーク執行法では、ツイッターやフェイスブックなど、ソーシャルメディアの運営者は、ヘイトスピーチであることが明確な場合は、24時間以内に削除しなければ、最大5千万ユーロ（約67億円）の罰金を科されます。

イギリスは、公共秩序法でヘイトスピーチを規制していて、罰則もあります。ロシアも憲法でヘイトスピーチを禁止しています。カナダも刑法でヘイトスピーチを規制していて、罰則もあります。フランスも人種差別規制法で、ヘイトスピーチを規制しています。スイスも、ハンガリーも、オーストリアも、ニュージーランドもスウェーデンも、その他にも多くの国が、ヘイトスピーチを法で規制しています。

これらの国に比べると、日本は人種差別におおらかな国ですね。

警察署に道路使用許可の申請をすれば、暴徒と化す危険性などがない限り、公道でスピーカーを使って、胸を張ってヘイトスピーチデモができるのです。

ANSWER

諸外国はヘイトスピーチを規制している。日本は規制していない。

4 差別書き込みの違法性

お悩み　ネット上で差別を受けています。差別書き込みは違法ですよね？

「日本ではヘイトスピーチが禁止されていない」ということを解説しましたが、ではネット上での差別書き込みはどうなのでしょうか？

ネット上であれば、差別が許されるのでしょうか？

人は生まれながらにして平等なのに、ネット上に差別を書き込む人がいます。生まれた場所、人種、民族、障害、性的指向などを理由に差別をしています。被差別部落、外国人、障害者、病気、性的マイノリティ（ＬＧＢＴ（注6））、性同一性障害、先住民族、犯罪被害者などなど、一部の限られた分野の人だけでなく、多くの人が差別、偏見の被害を受けています。

なぜ、差別書き込みをするのでしょう？

「そもそも人権とは……」などという道徳や精神論では、差別はなくなりません。もちろん、教育は必要です。教育は基本です。しかし、教育だけで解決しないということは、現実が物語っています。精神論で差別がなくなるのならば、とっくの昔に解決しているはずです。

道徳心に訴えるだけでは、差別はなくなりません。学校でいくらダメだと教えても、法が差別書き込みを許している限り、モラルによる抑止力には限界があるのです。言っていることとやっていることを一致させなければ、つじつまが合いません。差別がダメなのであれば、法の上でもダメにしなければ、結局は「やってもよい」ということと同等になってしまいます。現実の差別の多さがそのことを示しています。

２０１６年に、差別解消に関する法律が相次いで施行されました。

❶障害者差別禁止法（注7）
❷ヘイトスピーチ規制法（注3）
❸部落差別解消推進法（注8）

これらは「人権三法」とも、「差別解消三法」ともいわれています。

せっかく作られた差別解消の法律ですが、結論を先にいってしまえば、この３つの法律のどれもネット上での差別書き込みを禁止していません。

「障害者差別禁止法」は、法人・団体、企業に対して、合理的な配慮を求めた法律であり、残念ながら、ネット上での障害者差別の書き込みを禁止していません。

「部落差別解消推進法」も、「ヘイトスピーチ規制法」も、禁止事項や罰則規定がなく、ネット上での差別書き込みを禁止していません。つまり、ネット上での障害者を差別する書き込みも、外国人を差別する書き込みも、部落差別の書き込みも違法になっていないのです。

違法とする根拠の法がないため、差別書き込みを法的に禁止したり、制限したり、刑罰を与えることもできません。違法だとして強制的にネットから削除することもできません。

ただし、差別の書き込みで名誉を毀損されたり、プライバシーを侵害されたら、損害賠償を求めることができます。個人が名指しで差別書き込みをされて被害者になっていれば、その被害者が損害賠償を請求します。しかし、人種や民族に対する差別書き込みだったら、いったい誰が損害賠償を請求すればよいのでしょう？　民族の代表者でしょうか？　人種の代表者でしょうか？

やはり、禁止事項や罰則規定がない法制度では、野放しになってしまうようです。

ANSWER

ネット上での差別書き込みは違法になっていない。

5 写真の無断掲載

あれっ!?
ニャ?
やせた〜い!
Before
そんなあなたに!!
○○○○さん(24)
Diet Star
今なら1,980円
ご購入はこちら
なによこれ!!
ニャーッ!
勝手に写真が使われてる!!
しかもダイエットのBeforeってなによー!!
アンスカ
これって違法ですよね!!

お悩み

私の顔写真が勝手に使われています。これは違法では？

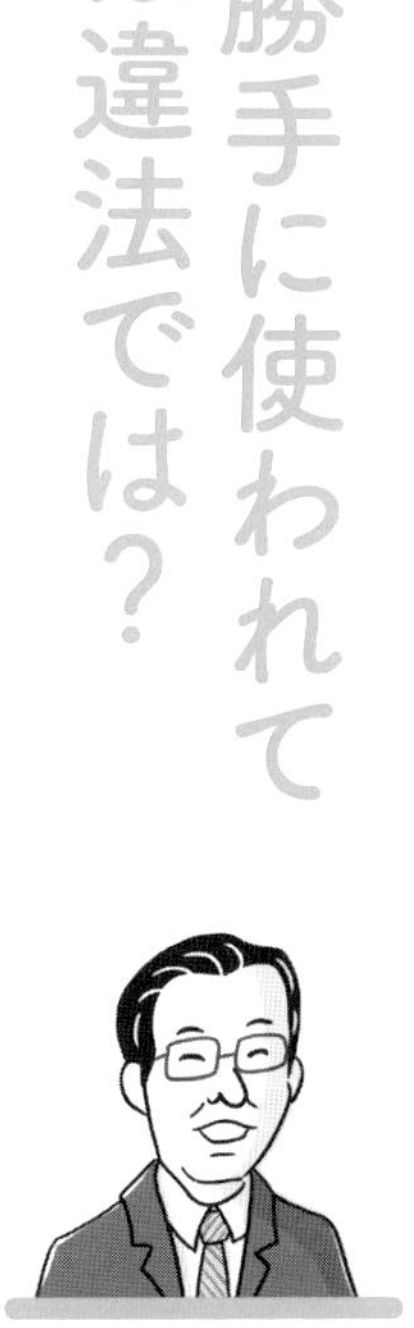

テレビ番組では、街中の通行人や、店内のお客さんの顔にボカシが入っていますね。ボカシがあるとかえって気になるものです。かつてのボカシは、わいせつ物を隠すために使われましたが、現代のボカシは、肖像権やプライバシーへの配慮として使われています。以前、野球場の外野席でいちゃついているカップルを、ボカシなしで放映したところ、クレームを入れられるというトラブルがあったそうです。もしも、そのカップルの浮気現場だったとしたら、それはまさに重要なプライバシーだったに違いありません。

顔写真に関係する権利は「肖像権」です。肖像権とは、勝手に写真を撮られたり、勝手に公開されない権利です。顔や姿を無断で撮ると肖像権の侵害になります。また、無断で公表しても肖像権の侵害になります。「いつ」「どこにいたのか」「何をしていたのか」などがわかる写真ならば、プライバシーの侵害にもなります。

インスタグラムや、フェイスブックなどのSNSには、多くの写真が掲載されています。

その中には人物写真もたくさんあります。

「同窓会で旧友が集まりました」

「楽しい仲間と女子会です」

「このチームで優勝しました」

などと、自分だけでなく、他の人たちも一緒に写っている写真が投稿されています。

これらは肖像権侵害や、プライバシー侵害になりそうな、ハラハラ投稿ですね。

スマホを向けたときに相手が拒否しなければ、撮影に同意したと見なしてもよいでしょう。でも、ネットに掲載することを伝えていなかったら、無断公表になり、厳密にいうと肖像権の侵害になります。

ところで、肖像権を侵害すると何罪になると思いますか？

答えは、何罪でもないのです。刑法に肖像権侵害罪はありません。肖像権保護法なる法律もありません。つまり、無断で人の顔写真を掲載しても、違法とする根拠の法がないため、違法行為ではないのです。従って、罰則もありません。だから、ＳＮＳにあんなに多くの人物写真が掲載されているのに、逮捕されたとか、罰金を払わされたという話がないのです。

ただ、ＳＮＳでのトラブルで最も多いのは、写真投稿のトラブルですから気をつけてください。肖像権を守るのは法ではなく、ネット利用者のモラルなのです。

ちなみに、肖像権の侵害に対して、損害賠償を求めることはできます。でも、得られる損害賠償金よりも、裁判費用の方が高くなります。また、ＳＮＳに投稿されたからといって友達を訴えたら、友達関係を壊すことにもなってしまうでしょう。

ユーチューバーの動画は、ネットに掲載することを前提に撮影しているので、同席している人は撮影にも公開にも同意していることになります。ところが、イベントの参加者や、通りすがりの通行人は、撮影にも公表にも同意していません。無断で撮影すると、トラブルになりやすい状態です。あらかじめ同意を得ておくか、またはボカシを入れるとか、映像からカットするなどの考慮が必要になります。

えっ？　ペットはどうなのかって？

動物に肖像権はありません。人のペットを無断で撮影する行為は、肖像権の侵害ではなく、はやはりモラルの問題なのです。

ANSWER

無断掲載は肖像権侵害です。
でも、違法ではありません。

6 プロバイダ責任制限法の正体

お悩み

法律で中傷投稿の削除や発信者の開示ができますよね？

あなたの手元に、ネット人権侵害のパンフレットや冊子があったら、ちょっと見てください。必ず紹介されている有名な法律があります。それは「**プロバイダ責任制限法**」です。この法律には、中傷投稿の削除や発信者情報の開示が定められています。そのため、これで**削除や開示ができると誤解している人が多い**ようです。

プロバイダ責任制限法は、次の２つのことを可能にしました。

❶掲載内容の削除（第３条）

権利侵害があれば、削除してもプロバイダは損害賠償責任を負わない。

❷発信者情報の開示（第４条）

権利侵害が明らかであるとき、プロバイダに発信者情報の開示を請求できる。

「権利侵害があれば、プロバイダは書き込みを削除してもよい。削除した場合は、発信者に対して賠償責任を負わなくてもよい」、また、「被害者は発信者情報の開示を請求できる」とした法律です。発信者というのは、ネットに投稿した者のことです。

また、削除を申請するための様式が整備されました。「送信防止措置依頼書」といいます。誰もがネットから入手できます。この様式が提出されたら、プロバイダは対応します。回答書も用意されています。ここまで聞いたら削除ができそうですね。

ならば、プロバイダ責任制限法に従って、中傷書き込みを削除する依頼書を提出したらどうなるかというと……、まず削除されません。

悪口を書かれたり、変な噂を書かれたり、プライバシーを侵害されたり、個人情報を掲載されたりしたとしても、「この法律が被害者を守ってくれる」「被害者が申請すれば、法律のお墨付きで書き込みを削除できる」となればよかったのですが、現実はそうではないのです。

削除も開示も権利侵害が条件になっています。権利侵害があった場合に限られています。名誉毀損の書き込みは、権利侵害になる可能性がある一方で、法は表現の自由や言論の自由を保障しています。当事者同士が「名誉毀損だ」「いや、表現の自由だ」と主張し合っても、結論は出ません。

権利侵害があったのかどうなのかは、裁判所が判断するものなのです。そのような判断を、いち民間企業であるプロバイダが勝手に行うことは困難です。

この判断がプロバイダに困難であることは、総務省自身も認めています。

だから、被害者から依頼書が出されたからといって、プロバイダは任意で書き込みを削除することはできません。うかつに削除すると、今度は投稿者から、「表現の自由を侵害された」と訴えられる訴訟リスクを抱えてしまうのです。

このような事情からプロバイダが削除に消極的になるのは当然のことです。

誤解してはいけません。プロバイダ責任制限法は、利用者を守ったのではなく、プロバイダの責任範囲を限定的にしたのです。そのことは、法律の名称に現れています。

プロバイダ（の）「責任」（を）「制限」（する）法なのです。

ANSWER

現実には削除も開示も非常に困難です。

7 ネット中傷の罰則と時効

お悩み

中傷投稿を訴えたいです。時効はありますか？

処罰にも、損害賠償請求にも、時効があります。

投稿者に刑罰を与えるための刑事告訴についても、損害賠償を求めるための民事訴訟についても、法で定められた時効があります。

長い間悩み苦しんだ末に訴えることを決意しても、すでに時効を過ぎていたら何もなりません。時効について知っておきましょう。当然、訴えるのであれば時効を迎える前です。

時効には、名誉毀損罪で告訴する場合の時効と、不法行為に基づいて損害賠償を請求する際の時効の2つがあります。

＜刑事告訴の時効＞

名誉毀損罪は、親告罪といって違法行為が明らかであっても、被害者が訴えない限り、犯罪にはなりません。親告罪には告訴期間が定められています。犯人を知った日から6か月です。刑事告訴するのであれば、この期間内です。

投稿者が匿名であったために、特定できないまま時が過ぎた場合はどうなのでしょう？

この場合、名誉毀損罪の時効は３年です。犯人がわからないまま、３年が経過してしまうと、罪に問うことができなくなります。これを**公訴時効**といいます。名誉毀損罪の刑罰は、「**3年以下の懲役、または50万円以下の罰金**」です。

処罰を希望する場合、警察署の刑事課で被害状況を説明し、「告訴したい」と意思を伝えます。この時には証拠を用意しておいてください。違法行為の疑いがあることが必要です。「プライバシー侵害」「個人情報の無断掲載」「肖像権侵害」「差別書き込み」などは刑事告訴ができません。これらの行為を違法と見なす根拠の法がないからです。

「名誉毀損」「侮辱」「信用毀損」などであれば刑事告訴に該当します。

具体的には誹謗中傷、悪口、ウソの噂などです。訴えの内容について述べた**訴状**を、本人か、代理人が書いて警察署に届け出ます。

起訴するかどうかは検察官が判断します。起訴にたどり着くまでが大変だと思います。

インターネット上の名誉毀損の書き込みについては、通常の犯罪とは告訴期間が異なることがあります。誹謗中傷が掲載されている間は犯罪が終了していないので、「その間に投稿者を知った場合は、告訴期間が進行しない」とした裁判例があります（注9）。

侮辱罪の公訴時効は1年です。刑罰は、「30日未満の拘留、または1万円未満の科料」です。

〈民事訴訟の時効〉

損害賠償の請求にも時効があります。名誉を毀損されたならば、毀損した者に損害賠償を請求できます。この場合は、加害者を知ったときから3年です。3年を経過すると、請求権が消滅します。これを消滅時効といいます。

また、加害者が匿名などで不明の場合は、加害者を特定できないまま20年を経過すると、請求権が消滅します。

訴える場合は、証拠を集めて訴状を作成します。そして、「訴状」「証拠」「添付資料」をそろえて裁判所に提出します。

ANSWER

名誉毀損罪の時効は3年、侮辱罪の時効は1年。

8 民事訴訟

お悩み

誹謗中傷は許せない。慰謝料を払ってもらいたい。

「訴えてやる！」という裁判には、大きく分けて2つあります。**刑事裁判と民事裁判**です。刑事裁判は、犯罪を犯した者に対して、法律に定めた刑罰を与えます。これに対して、民事裁判は、実質的な損害や精神的な苦痛に賠償を求めます。被害者は両方を選択することもできますし、どちらか片方だけにすることもできます。

精神的な苦痛に対する損害賠償金を慰謝料といいます。加害者から受けた悲しみや、恐怖といった精神的な苦痛をお金に換算したものです。

民事裁判は弁護士なしでも可能ですが、法律の専門家である弁護士に依頼した方がよいでしょう。当然、弁護士費用が発生します。弁護士費用と、得られる損害賠償の金額とを考え、本当に民事裁判に訴えるかどうかを検討することになります。

ネット中傷の場合は、一般的に得られる損害賠償金よりも、弁護士費用の方が高くなります。匿名で投稿されている場合は、損害賠償を求める民事裁判の前に、まず加害者を特定しておかなければなりません。

民事裁判を行うには訴訟のために訴状を作成します。訴訟には証拠が必要です。そのため、ネット上で中傷されたら、まず記録を残しておきましょう。訴状に書く内容は全て法令で決まっています。

損害賠償請求訴訟を申し立てた人のことを「原告」、申し立てられた人のことを「被告」といいます。被害者が原告で、加害者が被告です。訴状は、当事者（原告と被告）の氏名・住所、原告の電話番号、送達場所、請求の趣旨、請求の原因、附属書類など多岐にわたっていて、専門用語が多い技術的な文書です。どれか一つでも欠けると、裁判所が受け付けてくれないこともあるので、間違いのないように作成する必要があります。

訴状を裁判所に提出すると、いよいよ裁判が始まります。

裁判で損害の責任の所在や、賠償額が決定します。判決には法的な効力があるのですが、加害者に賠償金を払わせる強制力はありません。つまり、払うか払わないかは、加害者の誠意にゆだねられているのです。

付け加えると、損害賠償については、民事訴訟の他に、示談や調停という手段もあります。示談というのは話し合いです。通常は当事者同士ではなく、代理人となった弁護士が話し合います。損害賠償額について合意をしたら、示談書や合意書を作成します。合意しなければ示談は成立しません。調停は、**裁判官と調停委員からなる調停委員会**で話し合います。双方の合意ができれば完了します。

知っておいてほしいことは、裁判は**公開の法廷**で行われるということです。原則として、被告（加害者）の氏名、住所は法廷で明らかになります。訴状には、原告（被害者）の住所、氏名、電話番号が記載されています。被告（加害者）の住所、氏名、さらに判明していれば、電話番号、勤務先も記載されます。

裁判所に提出した訴状と全く同じものが被告にも届くので、加害者は誰が自分を訴えているのかを知ることになります。そして、民事事件の訴訟記録は、原則として公開されます。民事裁判の**訴訟記録閲覧制度**によって、誰でもが裁判所で当事者や関係者の住所、氏名が記載されている訴訟記録を閲覧できます。公開したことによって、何らかの影響があるかもしれません。自分の素性と相手の素性を公開するには、それなりの勇気が必要です。

ANSWER

「訴えてやる」には大きな勇気が必要になる。

9 損害賠償の支払い命令

お悩み
裁判所の判決だから、支払われますよね？

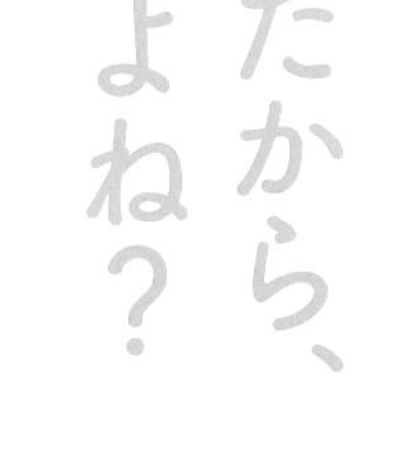

損害賠償請求の裁判を行い、裁判所に悪質な書き込みであることを認めてもらい、損害賠償金の支払い命令が出たとしても、支払い命令は一つの区切りであって、まだ安心するのは早いのです。

裁判によって、加害者が支払うべき損害賠償金額が決まった後には、「**損害賠償金を回収する**」というハードルがあるのです。

実は、裁判所の判決というのは、「被告は原告にいくらを支払う義務があるのか」を確認するものなのです。命令といいながら、**支払い命令には強制力がなく**、被告（加害者）が支払わなくても裁判所が注意することはありません。

その実例が、元2ちゃんねる掲示板の創始者・ひろゆき氏です。

彼は多くの損害賠償請求訴訟の被告になりました。裁判所が命じた損害賠償金の合計は数億円といわれています（注10）。

彼は出演したテレビ番組でこう語っています。

「払わなくちゃいけない法律があるのなら払うけれど、ないから払わない」

加害者が「払わない」といったらそれまでです。被告が、裁判所の支払い命令を無視しても、罰則がありません。裁判所が命じたとしても、「慰謝料を払わなければならない」という法律は存在しないのです。

もしも、このような事態になった場合、打つ手が全くないわけではありません。

被害者には相手の財産を差し押さえて、強制的に回収するという手段が残っています。

強制執行（差し押さえ）です。ひろゆき氏は、『電車男』の印税を60万円ほどを差し押さえられた」と語っています（注1）。

差し押さえを実行するためには、相手の収入や財産を明らかにしなければなりません。

以前は「相手の財産がわからないために、強制執行ができない」ということがありましたが、このプロセスが被害者泣かせだったのです。

それが民事執行法が改正されて、2020年4月から、財産開示手続きが債権回収のための有効な手段になりました。これは相手側に財産を開示させるための手続きです。

裁判所が債務者（加害者）を呼び出して、「どのような財産があるのか」という話を聞きます。債務者が、この裁判所の呼び出しに応じなったり、虚偽の陳述をした場合には、6

か月以下の懲役、または50万円以下の罰金が科されます。

裁判所が金融機関や官公庁に問い合わせをし、債務者の預貯金口座、所有不動産、勤務先に関する情報を取得することも可能になりました。


財産の差し押さえは拒否できません。


ただ、この財産の差し押さえという手段にも限界があります。そもそも加害者が無職だったり、フリーターだったりで収入や財産がなければ、差し押さえるべき財産がありません。ない袖は振れないのです。加害者に借金をさせてまで払わせる強制力もありません。

また、時効は10年です。ひろゆき氏の何億円という損害賠償も、今となっては時効だろうと思われます。

差し押さえが使えないとなると、債務者（加害者）本人から損害賠償金を回収する方法は、いまのところありません。

ANSWER

支払い命令に強制力はない。必ず回収できる保障はない。

10 書き込みの常時監視

お悩み

サービス提供事業者は投稿を監視しないのですか？

コンビニでも、保険会社でも、旅行会社でも、およそ客からお金をいただいて商売している企業には、良質のサービスを提供する義務があります。不良品を販売してはいけませんし、質の悪いサービスをしてはいけません。それは消費者をあざむく行為です。企業には、消費者に良質の商品やサービスを提供する責任があろうというものです。このような**企業の社会的責任**のことをＣＳＲ（注12）といいます。インターネット上のサービスはどうなのでしょうか？

悪質な書き込みで利用者が被害に遭ってよいはずはありません。利用者が安心して使える健全で良質なサービスを提供する義務があるはずです。それがＣＳＲに基づく企業活動というものです。

ＳＮＳやネット掲示板など、ネット上の書き込みの場を提供している会社には、誹謗中傷や差別など、悪質な書き込みが行われていないかどうかを監視しなくてもよいのでしょうか？　誰かが監視していなければ、悪質書き込みが垂れ流しになってしまいます。

勝手に削除ができないまでも、悪質だと疑われる書き込みに警告を発するくらいのことは、サービス提供者としてやってもらいたいものですよね。

問題のある発信に対して、一言、「本当に送りますか？」という注意メッセージを表示しただけで、93％の人が発信をやめたという実験結果があります（注13）。

ですが、現実をお話すると、SNSも、ネット掲示板も、ブログも、サービスを提供している事業者には、**書き込みを常時監視する義務がありません**。

「そんなバカな！」と思うかもしれません。お金を払っている利用者にしてみれば、ウソのような本当の話なのです。それが証拠に、法務省と関係団体（注15）が一緒に作ったガイドライン（注14）があります。法務省でさえ、このガイドラインに基づいて削除要請を行っています。

そのガイドラインにわざわざ明記されているのです。

「**プロバイダ、サイト管理者、掲示板管理者に監視義務はない**」

そのため、どんなに悪質な書き込みがあろうとも、サービスを提供している側は、胸を張って、常時監視しなくてよいことになっているのです。

被害者から訴えがあれば、調査なり検討なり何らかの対処をしますが、「自らが提供しているサービスが、どのような使い方をされているのかを見ていなくてよい」ということなのです。

現状のネットは利用者にとっては、「監視義務なし」「削除義務なし」という、「書きたい放題」「書かせたい放題」の、いわば無法状態になっています。

そのようなインターネットを、毎日、仕事や生活の中で使っているということを、すべてのネット利用者に知ってもらいたいと思っています。

念のために付け加えておきますが、常時監視を実施している会社もあります。モバゲーを運営する、DeNAやGREE、mixiなどで、24時間365日、書き込みを監視しています。プログラムがNGワードをチェックしたり、監視スタッフが目視で確認しています。画像や動画もチェックしています。これこそまさにCSRですね。

ネットはすでに生活必需品になっているのですから、電気・ガス・水道などのインフラと同じように、安心して利用できるサービスになってほしいものです。

ANSWER

サービスを提供する事業者には書き込みを監視する義務はない。

第4章の注

（注1）個人情報の保護に関する法律　2005年（平成17年）4月1日施行。

（注2）1999年5月に住民基本台帳のデータ21万7617件分が外部に流出し、名簿業者によってインターネット上で販売された事件。2002年7月11日に最高裁で慰謝料が確定した。

（注3）本邦外出身者に対する不当な差別的言動の解消に向けた取り組みの推進に関する法律。2016年6月3日施行。

（注4）大阪市と川崎市は法律の制定を待たず、条例を作って取り組んでいる。

（注5）2016年末に希望があった自治体に提示した。

（注6）LGBT：女性同性愛者（レズビアン、Lesbian）、男性同性愛者（ゲイ、Gay）、両性愛者（バイセクシュアル、Bisexual）、性同一性障害含む性別越境者など（トランスジェンダー、Transgender）。

（注7）障害を理由とする差別の解消の推進に関する法律。2016年4月1日施行。

（注8）部落差別の解消の推進に関する法律。2016年12月16日施行。

（注9）大阪高判平成16年4月22日判タ1169号316頁。

（注10）2007年3月時点で少なくとも43件で敗訴が確定し、賠償額は計4億3800万円になっている。支払わないことで1日88万円ずつ制裁金が増えている。2017年5月13日にAbemaTV「エゴサーチTV」に出演したひろゆき氏は、賠償額が約30億円になっていると明かした。

（注11）AbemaTV「エゴサーチTV」2017年5月13日。

（注12）CSR（Corporate Social Responsibility：企業の社会的責任）。

（注13）米国の少女（13）が発案したアプリ"Rethink"を使った1500人対象の実験結果。

（注14）プロバイダ責任制限法ガイドライン等検討協議会：テレコムサービス協会、電気通信事業者協会、日本インターネットプロバイダー協会の3団体で構成。

（注15）「プロバイダ責任制限法　名誉毀損・プライバシー関係ガイドライン」プロバイダ責任制限法ガイドライン等検討協議会。

第5章

無視しますか？
戦いますか？

1 示談か？裁判か？

とうとう見つけた!!
発信者特定!!
訴訟だ!
すいません!示談にしてください!
裁判だーっ!!
示談にした方がいいのか?
どっちがいいんだろう

お悩み 示談の提案がありました。応じるべきですか？

発信者を特定できたならば、ようやく損害賠償請求や、書き込みの削除を求めて、訴訟ができます。

手続きを進めていると、裁判所から和解の提案があるかもしれません。また、相手方から示談の申し出があるかもしれません。裁判になると、名前が明らかになるからです。

「ツイッターへの投稿で名誉を傷づけられた」として、女優の春名風花さんと風花さんの母親が、慰謝料265万4千円の支払いを求めた訴訟が横浜地裁でありました。この事例では、「加害者側が示談金315万4千円を支払う」という内容で示談が成立しています（注1）。

春名さんがツイッターを始めたのは9歳です。その頃から彼女を中傷する投稿が始まりました。実家の住所がさらされたり、出演する劇場などに爆破予告をされ、仕事にも支障をきたすようになりました。

そこで弁護士に依頼して、ツイッターなどプロバイダ4社に対して、投稿者の氏名や住所を特定する、「発信者情報開示請求訴訟」を申し立てました。

その結果、投稿者の情報が開示されて、ようやく民事訴訟にこぎ着けたのです。

また、春名さん側は名誉毀損と侮辱の疑いで、投稿者を神奈川県警泉署に刑事告訴も行っています（注2）。春名さんは、投稿者の身元特定につながる情報開示には、裁判などで100万円以上の費用がかかり、約1年かかったと説明しています（注3）。

この事例では、中傷投稿されたときに、「法に基づいて処罰してもらった方がよいのか」「示談で和解した方がよいのか」について、さまざまなことを考えさせられます。

裁判で最後まで戦って刑罰を明確にするのか、それとも裁判をせずに示談にするのかは、被害者として判断のしどころです。まず裁判になった場合のことを説明しましょう。

裁判になれば、加害者の氏名が公開されるので、社会的な制裁になるかもしれません。生活や仕事でも立場が悪くなることでしょう。勤め先から解雇されるということもあり得る話です。しかし、刑法上の罰金は、被害者が受けた苦悩の大きさに比べると少額といえます。名誉毀損罪で罰金は50万円以下、侮辱罪で科料は1万円未満です。

しかも、罰金は国庫に入るため、被害者には1銭も渡されません。

前科については、ネット上で拡散していない限り、本人が隠していれば、後に一般の人や、民間会社が把握するための手段はありません。

罰金以上の刑に処されると、前科調書に記載されて検察庁に保管されます。この前科調書を照会できるのは検察官と検察事務官だけですが、前科があるのに就職時に、履歴書やエントリーシートに、「賞罰なし」と記入すると、経歴詐称になる可能性があります。

では、示談の方はどうでしょう？

被害者の氏名も、加害者の氏名も、公開されません。当事者間での解決になるので、表向きは何もなかったように見えます。心の傷はお金で癒やされませんが、示談金を得ます。謝罪と書き込みの削除を求めて、「二度と繰り返しません」という誓約書を書いてもらえば、抑止効果が期待できます。裁判で心身を消耗させるよりも、示談の方が少しは心が穏やかになるのではないかと思います。

そう考えると、示談も価値のある解決ではないでしょうか。

ANSWER

謝罪と誓約書が再発防止になる。示談も価値あり。

2 正しい情報を発信する

お悩み
間違った批判が書かれています。訂正したいです。

インターネットはデマや噂、誤情報の宝庫です。それらは**口コミ以上のスピード**で広まります。大きな事件、事故、災害があると、必ずネット上にデマが流れます。

2011年3月の東日本大震災の際には、千葉の石油コンビナートで火災が発生し、黒煙が激しく立ち上る光景が報じられました。すると、「有害物質を含んだ雨が降る!」というデマが拡散しました。多くの人が、「さぁ大変!」と家族や友人に転送してしまいました。

熊本地震の際には、「動物園からライオンが逃げた!」というデマが拡散しました。「怖くて避難できない」という人までいました。

新型コロナウイルス感染症についても、デマが拡散しました。

「緑茶で感染を防げる」「納豆に予防効果がある」「トイレットペーパーが不足する」など、多くの誤情報が広まり、買い占めが行われました。厚生労働省や公的機関は、正しい情報をサイトに掲載して、デマの否定に躍起《やっき》になりました。

「社長が新型コロナウイルスに感染した」という、根も葉もないデマを流された製麺会社があります。この会社は売り上げに大きな影響が出ました。

「家族が感染した」というウソの情報を投稿されて、予約客を何十人も失った鮨店もあります。このように間違った情報は、トラブルを招くことがあります。

自分に対する間違った情報での批判も困ります。誤情報を信じた人からバッシングされたり、仕事に支障が出たり、関係者にまで迷惑がかかることになるかもしれません。そうなったら対処が必要です。

無視して放置していると、ますます被害が拡大する恐れがあるからです。

まずはネット上の同じ場で反論したり、否定したり、抗議することは好ましい対応ではありません。反応は相手を刺激することになるからです。

また、投稿した相手を挑発したり、煽ったりする言葉も使ってはいけません。「やれるものならやってみろ！」的な言葉はご法度です。万一、裁判になったときに不利になります。

自分のブログやフェイスブック、ホームページなどを使って、正しい情報を発信しましょう。同じ土俵でやり合わないことです。自分独自の発信の場を持っていない場合は、まず静観です。

可能であれば、所属している法人、団体、事務所などの公式サイトで組織としての公式コメントを掲載することもよいでしょう。組織の公式サイトを使うと、「私個人ではなく、所属団体が対処している」という意思表示にもなります。

投稿者は「会社まで出てきやがった……」と少々不安になるかもしれません。組織を相手にしても勝ち目がないことはわかっているはずです。その後に書き込みがあったとしても、負け犬の遠吠えだと思ってください。

それでもまだ繰り返すようだったら、無視を続けるのか、立ち向かうのかを決めましょう。

今後のことを考えたならば、泣き寝入りはお勧めできません。

「繰り返すようならば法的措置をとります」という一文を掲載して警告します。懲りない投稿者は単なる脅し文句だと思って、さらに繰り返すかもしれません。

そうなれば確信犯であり、常習犯です。削除のための具体的な手続きを考えましょう。

削除の手続きについては、「削除を求める手続き（p38）」で解説しています。

ANSWER

公式ページを使う。同じ場では反応しない。

3 SNSの削除手続き

お悩み

ＳＮＳの中傷投稿を削除できますか？

各ＳＮＳでは、いちおう削除の手続きが用意されていて、被害者は削除を申請できます。「いちおう」というのは、削除される保証がないからです。期待は禁物です。

＜ツイッターでの削除手続き＞

ツイッタールールに反するツイートが、削除の対象になります。ツイッター社にツイートの削除を依頼できます。ただし、削除依頼の対応窓口は、ツイッター社の日本法人ではなく、アメリカにある本社となります。

方法は、「ヘルプセンター」の問い合わせページ(注4)から違反報告をします。誹謗中傷を削除する場合は、トピックの「嫌がらせ」を選択します。

削除依頼を行うと、本人確認のためのメールがツイッター社から届きます。それに対して、顔写真付きの公的な身分証明書の写しを送ります。

利用規約に反していると判断されれば、「投稿の削除」や、「アカウントの凍結」という措置が行われることになっています。

＜フェイスブックでの削除手続き＞

フェイスブックの利用規約や、コミュニティ規定に違反する投稿については、「違反報告」ができます。投稿の右上にある『…』をタップして、『サポートを依頼または投稿を報告』を選択すると、投稿の違法内容をフェイスブック運営へ報告できます。

フェイスブックは、ヘイトスピーチや暴力関連、子どもの裸体画像の投稿を不適切として削除しています。２０２０年10月から、不適切な投稿を削除する際の判断が適切かどうか、第三者機関「監督委員会」が審査する手続きを始めました。

委員会のサイトは日本語にも対応しています。

＜インスタグラムでの削除手続き＞

利用規約に反する投稿は、削除の対象になります。違反の投稿を開き、写真右上にある『…』をタップし、『不適切である』を選択します。誹謗中傷を受けている場合は、『不適切なコンテンツを投稿している』を、なりすまし被害を受けている場合は、『このプロフィールは他の人になりすましている』を選択します。

＜ユーチューブでの削除手続き＞

プライバシーを侵害するような動画は、削除してもらえる可能性があります。「コンテンツを削除する基準」に照らし合わせて、削除か否かが判断されます。申請は、ネット上の『プライバシー侵害の申し立て手続き』ページから行います。必要事項を記載して送信します。

＜ラインでの削除手続き＞

ＬＩＮＥについては公式ページで、「ユーザからの削除申告への対応」として、問い合わせフォームを使って申告できます。各サービスの利用規約に定める禁止事項に基づき、利用規約違反と認められる場合には、申告があった投稿が非表示になります。

ANSWER

削除の手続きは一応あります。でも、期待は禁物。

4 風評被害

なんでお客さん
来ないんだろう
前は行列ができてたのに…
ガラーン。
とんこつラーメン
店長、これ見ました？
え!?
〇〇のラーメン激マズ!!
〇〇〇〇
わかります！素人みたいな味！
〇〇〇〇
たぶんゴキブリ浮いてそう〜！
なんだこりゃーっ!!

お悩み

店の料理がまずいと書かれ、お客さんが来なくなりました。

インターネットがなかった頃の口コミは、人から人への伝播《でんぱ》です。噂が広がるスピードには、それなりの限りがありました。

ところが、ネット時代になって、ＳＮＳでの拡散力はどうでしょうか？

手の中のスマホをタッチするだけで、ＳＮＳのネットワークへ一気に広がります。

一瞬で万単位の人たちに伝わってしまうのです。ビジネスで活用すれば、強力な宣伝ツールになりますが、間違った情報に基づく噂やデマだった場合は、大きな被害をもたらします。

料理店がありもしないことを書かれて、悪評がネットに流れると店の評判は落ちます。売り上げにも影響します。これを**風評被害**といいます。

原発事故による海産物や、農作物の放射線汚染の風評、「新型コロナウイルスの感染者が出た」という風評も被害をもたらしました。

デマや噂は形の上では、**信用毀損罪**になります。なぜ、「形の上では」なのかというと、信用毀損罪には「**虚偽の風説を流布し**」という要件があるからです。風説というのは、**虚偽情報**のことです。「食中毒が発生した」というデマであれば、食中毒発生の有無は調査できますから、虚偽か真実かを客観的に判定できます。その結果、虚偽であれば、信用毀損罪に該当します。

では、「料理がまずい」という噂を故意に流した場合はどうでしょう？

虚偽か真実かの判定が難しくなります。味の評価は、主観的、個人的、感覚的なものなので、「個人の感想です」といわれたら、ウソであることを証明しなければなりません。

故意に低評価の**やらせ投稿**を行い、信用毀損罪となった例があります。

アマゾンのレビュー欄に低評価を投稿させたとして、健康食品・器具の通販会社経営の男性（26）が、信用毀損罪で罰金20万円の略式命令を受けました（注5）。競合他社の信用を落とすために、女性に依頼して、「飲みにくかった」というコメントと、「★（星）一つ」の評価を入力させたものです。故意に低評価を与えた行為が、信用毀損と認定されました。被害を受けた会社は、売り上げが2割減少したと報じられています。

信用毀損罪で処罰してもらうには、裁判所で虚偽の情報であることを証明しなければなりません。戦うのならば、刑法での処罰だけではなく、「損害賠償を求める民事訴訟」も同時に考えるとよいでしょう。「ネットへの書き込みで売り上げが減少した」として損害賠償を求めるのです。

信用毀損罪では虚偽の情報であることが要件でしたが、虚偽でなければ何を投稿してもよいのでしょうか？　いえ、そうではありません。本当の事を書き込んだ場合、信用毀損罪にはならなくても、**名誉毀損**や**プライバシー侵害**になることがあるのです。

「あの中華料理店の主人は、隣の八百屋の奥さんとデキていて、定休日のたびに浮気をしている。ハゲでいるくせに、女たらしのゲス男だ」

このような投稿は、浮気が真実だったとしても、本人にとっては社会的な評価に関わるので、名誉毀損になる恐れがあります。また、「女たらし」や、「ゲス男」という表現は、侮辱に該当するでしょう。浮気は人に知られたくない私生活上の隠し事ですから、プライバシー侵害での損害賠償も考えられます。本人が本当にハゲていたとしても、「ハゲ」とののしることは、名誉感情を損ねることにもなります。

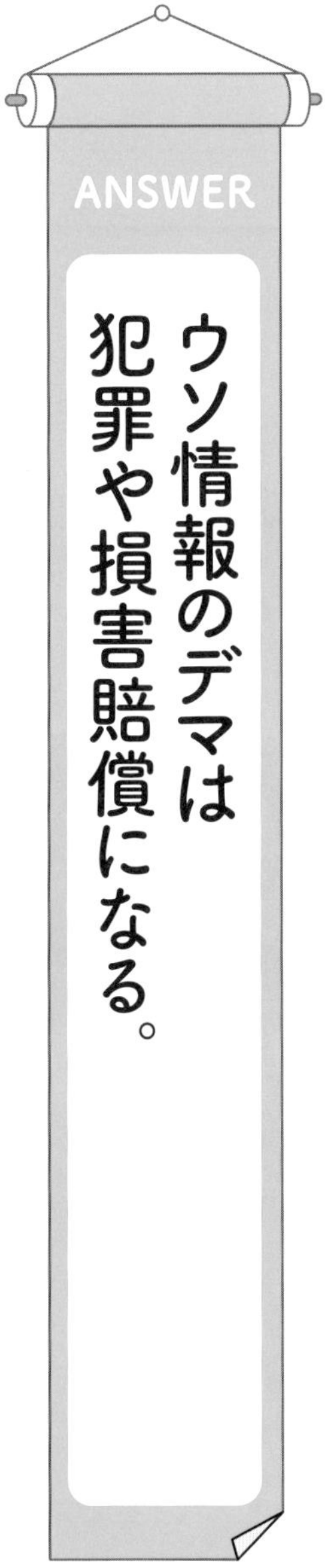

ANSWER
ウソ情報のデマは
犯罪や損害賠償になる。

5 罪深い「権利侵害の明白性」

お悩み

法律があるのに被害者がなぜ救済されないのですか？

「プロバイダ責任制限法の正体」（P116）で、プロバイダ責任制限法は、損賠賠償責任の制限（第3条）と、発信者情報の開示請求（第4条）を定めていながら、**現実的には削除や開示ができない**と説明しました。

被害者を救済できないことの理由は、「権利侵害を明らかにしなければならない」という要件の存在でした。この「**権利侵害の明白性**」について、もう少し解説します。

「権利侵害の明白性」という要件が、被害者の救済を阻んでいることについては、すでに2011年に**日本弁護士連合会**が提言として指摘しています。

少し難しい文章ですが、提言内容を紹介します。

「本提言（案）は、プライバシー保護や表現の自由の理念を述べるだけで短絡的に権利侵害の明白性を肯定しており、『明白』というあいまいな文言が、発信者情報開示手続に与える悪影響や、具体的な主張立証責任上の問題点を無視しているものと言わざるを得ない。現在、

『明白性』という厳格かつ抽象的な文言のために、プロバイダ等が開示の要件を満たすか否かについての不安感から任意の開示をほとんど拒否しており、そのため、多くの時間と費用を費やして訴訟による開示請求をしなければならない状況である」（注6）。

要するに、プロバイダは権利侵害を判断できないので、せっかく法律が削除と開示を可能にしても、「権利侵害の明白性」が壁になって、中傷投稿の削除も、発信者情報の開示もできなくなっていると指摘しています。

いったい、なぜ、いち民間事業者であるプロバイダに、「権利侵害の明白性」を判断させようとしたのでしょうか？

権利侵害か否かを判断するのは裁判所です。そのような判断をプロバイダにさせることがそもそも無理だということが、法を作るときにわかっていたはずです。「被害者を本気で救済しようとしていなかったのではないか？」と疑いたくなります。

プロバイダ責任制限法を運用する際に、指針となるべきガイドライン（注7）も、「現時点において権利侵害の明白性が認められる場合についての一般的な基準を設けることは難しい」

「発信者情報の開示を認めた裁判例等を参考にして、権利侵害の明白性の判断を行い、判断に疑義がある場合においては、裁判所の判断に基づき開示を行うことを原則とする」

としています。プロバイダ自身が判断することは困難だと認めています。困難であることがわかっているのならば、形だけの法律を作るのでなく、「権利侵害の明白性」を認定する第三者機関を設立するなり、プロバイダが裁判所から判断を得られる手続きを用意するなり、実効性のある環境を整備すべきなのではないでしょうか？

「法律があるからそれでいいだろう」とばかりに、**被害者はプロバイダ責任制限法が施行されたから、20年もの間放置されている**のです。

削除ができるか否かは、権利侵害であることを判定できるか否かにかかっています。「権利を侵害している」と認定されたのであれば、プロバイダはプロバイダ責任制限法に基づいて削除できます。

権利侵害を認定する環境がないために、被害者は大きな費用・時間・手間を負いながら、裁判の手続きを経て、削除や開示に取り組まざるを得ないのです。

ANSWER

法律だけがあって環境が整備されていません。

6 中傷投稿をする人たち

お悩み

人はなぜ、ネットで人を傷つけるのでしょうか？

子どもたちは学校で、「自分がされて嫌なことを人にするな」と教えられています。
家庭でも「人に迷惑をかけるな」と教えられています。
誰もが学んだはずなのに、なぜ、人はネットで人を傷つけるのでしょうか？

＜野次馬便乗タイプ＞

ネット中傷する人の中で最も多いのが、野次馬便乗タイプです。このタイプは「**隠れた欲望**」に動かされています。人には、「自分が誰なのかがわからなければ、いつもはできない悪いことをやりたい」という「隠れた欲望」があります。子どもが、「禁止されていることを、大人がいなくなったらやりたくなる心理」と同じです。匿名になったことで、自制心よりも欲望の方が勝ってしまい、「みんながやっているから」と、自分もその群衆に同調して、「わっしょい！　わっしょい！」と祭りに参加してしまうのです。

赤信号はみんなで渡れば怖くないかもしれませんが、信号無視は違反になります。

＜優越感タイプ＞

２つ目は、優越感タイプです。とにかく粗を探して、何かとケチをつけようとする人がいますよね？　よいところを見るのではなく、悪いところを見つけ出して、批判しようとする人たちです。他の人を上から目線で、批判し、攻撃することで、自分が優位になろうとしているのです。本来は努力して自分で自分を高めるべきなのに、努力せずに他の人を下に見ることで、自分が上になろうとしています。匿名でのバッシングやマウンティングは、そのための格好の方法なのです。**人を攻撃して優越感を得ようとする人たち**です。

＜私設警察タイプ＞

３つ目は、私設警察タイプです。コロナ時代の「自粛警察」や、「マスク警察」と同じです。このタイプは、とてもやっかいです。なぜかというと、他のタイプとは違い、「自分は正しいことをしている」と思い込んでいるからです。ネット上で人をバッシングしていながら、本人は悪いことをしているという自覚がありません。むしろ、自分はよいことをしていると信じています。「社会をよくするために、私が正しているのだ」といいます。自分が社会をよくしているという、「歪んだ正義感」にとらわれているのです。

このように勘違いした人たちが生まれる背景には、ネットでの間違った情報の流布があります。デマやうわさを信じて、一方的に決めつけるのです。

ネットで人を傷つける人は、職場、学校、生活、もしくは自分自身に何かしらの不満やストレスを抱えているのかもしれません。ネットが満たされない気持ちのはけ口になっているのではないでしょうか。

「悪口をいう人は不幸な人である」といわれます。幸せを感じている人は、他の人を攻撃したり、傷つけたりはしません。

「幸せになる確実な方法は、人に感謝すること」だという言葉があります。

「人に感謝すれば、その感謝が自分に返ってきて、自分が幸せになる」ということでしょう。

刑法を作っても犯罪はなくなりません。教育のせいにしてもネット中傷はなくなりません。

ANSWER

ネットが不満やストレスのはけ口になっている。

7 外国の状況

お悩み

ネット中傷の被害は外国でもあるのですか？

ネット中傷の被害は、外国でもあります。他の国でも同じように発生しています。

「ネットいじめに悩んだ子どもが自殺する」という事件は、他の国でも同じように発生しています。ネット上の中傷問題に、外国はどう取り組んでいるのでしょうか？

ネット上の書き込みを削除することについては、日本も諸外国も、サービス事業者の自主的な取り組みに任せています。むやみに国が削除に介入すると、「ネット上での自由な活動を阻害する恐れがある」と考えているからです（介入が行き過ぎたら、どこかの国のような情報統制になるかもしれません）。

主要国では、プロバイダの刑事責任や、民事責任を免責する条項が法律で定められています。つまり、損害賠償責任を負わなくてもよい条件を示していて、その条件のもとで、「プロバイダが自主的に違法情報を削除すること」や、「発信者情報を開示すること」を促進しています。ここでいう違法情報というのは、何らかの刑罰法規に違反する情報のことです。

英国（注8）やドイツ（注9）は、日本（注10）と同じように、違法なコンテンツを削除しても法的責任を問われないとしています。ただし、「違法なコンテンツであるのか否か」の判定が問題になり、その解決策として、英国では**インターネットウォッチ財団**（ＩＷＦ）（注11）が、違法性の判断を行います。

ネット上にある情報の扱いについては、２つの考え方があります。

電話では、電話会社が通話内容を傍受して、その内容について云々《うんぬん》しませんよね。「**通信の秘密**」があるからです。同じように、「インターネット接続事業者（いわゆるプロバイダ）は、電気通信事業法の適用を受ける電気通信事業者なのだから、**検閲の禁止**（注12）、**通信の秘密**（注13）が前提になる」という考え方です。

もう一つは、「**サーバー内のデータに対して、編集権を持っている管理者**」という考え方です。「違反データに対して編集権を行使しない場合は、責任が問われる」というものです。

日本は、最初に述べた「電気通信事業者」という考え方をとっているため、「書き込み内容を常時監視する義務がない」としているのです。

ただし、インターネットには国境がないので、ネットでの誹謗中傷もグローバル化しています。サービス事業者が日本国内で法人登録されていて、サーバー設備も日本国内に置かれているとは限りません。国外のサーバーを使った場合は、日本国内の法の規制を受けません。ネット上での誹謗中傷も国境をまたぎます。

このような形でインターネット上で行われた違法行為への対処については、国際連携が遅れています。違法・有害情報全般に関する政府間や、事業者間での情報共有の取り組みが進められているとはいえない状況です。

ただし、児童ポルノについてだけは、国際的な捜査共助の仕組みがあります。児童の性的搾取に関する画像、映像や情報の共有体制が整備されていて、捜査段階での国際連携が図られています。

ちなみに「児童ポルノ」「リベンジポルノ」「わいせつ」などの違法・有害情報の９割は国外サイトに掲載されています（注14）。これらの違法情報については、日本からの削除依頼での削除率は９割ですから、一定の効果があるといえます。

ネット上の誹謗中傷についても、国際連携を進めてもらいたいものです。

ANSWER
ネット中傷は他国にもある。
日本だけではない。

8 再発の防止

お悩み

苦労して削除したのにまた書き込まれました。

スマホがあれば、いつでも、誰でも、どこからでも、ネットに投稿できます。その便利さが、「いつでもどこからでも中傷投稿ができる」という状態を作りました。その結果、多くの人が時間や場所を問わず、ネットで中傷されるという事態になっています。便利なスマホやネットが、人を傷つけることに悪用されるなんて悲しいですね。

中傷投稿を削除した後にも、しつこく投稿が繰り返されることがあります。そんな相手は粘着質です。せっかく苦労して削除したのに、また書き込まれると元の木阿弥になってしまいます。このような人間が相手の場合は、単に削除するだけでは、必ずしも根本的な解決になりません。

「悟りの境地になって放置する」という方法も対処の一つかもしれません。つまり、気にしないということですね。ネットのチェックをやめるという方法もあります。でも、「気にするな」と第三者がアドバイスすることは、無責任なことだと思っています。

中傷されても無視ができる人は、自分に自信がある人や、根っからの楽天家、精神的に強い人ではないでしょうか？　無視してやり過ごすということは難しいものです。気にしないでいられるのなら、そもそも悩んでなんかいません。

中傷投稿について相談に来た方に、「対処が簡単ではない」ということを説明すると、途方にくれて立ち止まってしまうようです。現行制度の中で、被害者を救済する手続きは非常に理不尽です。「対処がそんなに大変ならば……」とあきらめたくもなるでしょう。

でも、本当にそれでいいのですか？　誹謗中傷の投稿は人を傷つけます。中傷投稿は、人の噂は75日かもしれません。しかし、ネットは違います。ネット上にずっと残り、いつまでも消えません。

「踏み出すのか、我慢するのか、という岐路に立っている」と思ってください。

確かに、被害者が救済される道は平坦ではありません。大きな負担を強いられます。費用も時間も手間もかかります。しかし、悩み苦しみながら泣き寝入りすることは、お勧めできません。もしも、再発防止を望むのであれば、悪質書き込みに立ち向かってほしいのです。負担を覚悟してでも対処することが、根本的な解決に向かう道なのです。

覚悟ができたらならば、「法的な措置をする用意がある」と警告しましょう。証拠資料として、記録もしっかりと残しましょう。

警告しても、再び書き込まれる可能性はあります。そうなれば行動開始です。

ここからは費用がかかりますが、まず弁護士に相談しましょう。とりあえずは削除の仮処分命令の申し立てがよいでしょう。そして、悪質で許せない書き込みならば、弁護士の力を借りて発信者特定の手続きに入ります。発信者を特定できたら、刑法に基づいて処罰してもらう刑事告訴や、損害賠償を求める民事訴訟を検討します。

それらの手続きは、費用や時間、手間がかかり、精神的な苦痛も大きいかと思います。しかし、立ち向かうことが、あなたにとって再発を防止する対処であり、また、**中傷に苦しんでいる他の被害者を勇気づける行動**になるのです。

泣き寝入りをしていたのでは、被害者が圧倒的に理不尽な状況は変わりません。

一人でも多くの被害者が、**中傷投稿に対してNOの声をあげて戦う**ことが、被害者救済の手続きを正常化させる力になるのです。

ANSWER

泣き寝入りせず立ち向かう覚悟をする。

第5章の注

（注1）２０２０年7月。
（注2）２０２０年1月。
（注3）２０２０年5月の朝日新聞の取材。
（注4）https://help.twitter.com/forms
（注5）２０２０年9月。
（注6）「プロバイダ責任制限法検証に関する提言（案）」に対する意見書、日本弁護士連合会、２０１１年6月30日。
（注7）「プロバイダ責任制限法発信者情報開示関係ガイドライン」第5版、２０１８年2月改訂、P・12。
（注8）電子商取引指令の施行規則。
（注9）テレサービスの利用に関する法律。
（注10）プロバイダ責任制限法。
（注11）プロバイダやEUのSafer Internet Action Plan58等の拠出により設立された財団。
（注12）電気通信事業法３条。
（注13）電気通信事業法４条。
（注14）「違法・有害情報対策活動報告 ２０１９年1月〜12月」一般社団法人セーファーインターネット協会。
（注15）２０１１年（平成23年）6月30日。

第2部

ネットで悪質な書き込みをされたら…

中傷対策1

被害は突然やってくる

①ムリヤリ悪者にされる？

ネットの誹謗中傷……。

この言葉を聞くと、学生のいじめや、著名人の問題のように感じられる方もいらっしゃると思います。しかし実際のところ、性別や年齢、職業に関係なく、ネットの中傷はいつどこで被害に遭うかわかりません。

中傷という言葉の暴力は、突然あなたに襲いかかります。

クレーマーのような人物は、自分が気に食わないと、相手に非がなくてもムリヤリその人を悪者に仕立て上げます。その虚偽情報を鵜呑みにした不特定多数が、被害者に対して言葉の集団リンチで襲いかかる。21世紀の現代でも、魔女狩りは横行しているのです。

事件や事故が発生する度に、ネット上で犯人探しが始まります。

警察が公表した情報でもないのに、SNS（ソーシャル・ネットワーキング・サービス）

や掲示板、まとめサイトなどでは、「犯人特定」という情報が駆け巡ります。

実際に犯人が逮捕されると、確たる証拠も取材した経緯もないまま、「名前と職業が容疑者と同じで、住んでいる地域が近い」という、たったそれだけの理由で犯人の親族にされ、そのデマを信じた不特定多数から仕事先に嫌がらせをされたり、家族が脅迫されるといった事例もありました。別の中傷では、面識のある人が何かをきっかけに、急にネットにデマを書き込んで、嫌がらせをする事案もありました。

以前の中傷は、掲示板などに悪口などを書き込んでいましたが、最近はＳＮＳに本人に無断で名前や顔写真を貼り付けて、明らかに特定できる内容のなりすましのアカウントが作成され、他人が偽造した「自分」が投稿しているように見せかける被害もあります。

わざと学校や職場の悪口を書き込んだり、人間性を疑われるような内容や人種差別をしたように見せかけて、社会的評価を下げます。

他にも、どこかのサイトに投稿されたわいせつな画像を、ターゲットにした人の自画撮りのように偽り、「無理やり襲ってください」などと投稿し、このデマを真に受けた男が、実際にツイートとは無関係の女性を襲う事件もありました。

中傷対策1 被害は突然やってくる

② 悪評はすぐに広がる

学校、職場や近所であらぬ噂が広がると、周囲の態度が一変します。サービス業を行っていれば急に客足が遠退き、閑古鳥が鳴くような状況に陥ります。

ネットに悪評を流布されると、いくら否定しても、身の潔白を晴らす術がないのです。なりすましの被害に遭うと、事実無根を証明するには、デマを投稿した人物を特定する以外に手段がありません。

最近では、新型コロナウイルスに感染した人への偏見や差別が全国で発生しました。感染した人が特定されて、ネットに名前や住所などの個人情報が書き込まれた例もあります。誰も感染していないのに「あいつは感染者だ！」「（店名）でクラスターが起きた！」とデマを書き込まれ、営業妨害に遭った企業もありました。

SNSでは、「感染者が中傷を苦に自殺した」という虚偽の情報が出回り、そのデマを信じた人たちが、中傷していた匿名の集団を批判する、「負の連鎖」も起きました。「たかがネットの書き込み程度だろう」と中傷の危険性を矮小化する人もいます。軽い気持ちで書き込まれた悪口やデマは、風評被害として実社会に飛び火します。

現代で情報収集する手段はネット検索が主流なので、悪評を信じる人がいれば、日常生活に影響が出ます。

実際にデマを書き込まれて、学校や職場に居られなくなった人もいます。企業や商品の口コミサイトに悪評を書き込まれて、お店が閉店に追い込まれたり、大変な苦労をされている人が大勢います。

中傷の被害に遭われた方々とお会いすると、皆さんが口をそろえたように「まさか自分が被害に遭うと思わなかった」と話されます。

「自分はSNSを利用していないから、デマや中傷の被害に遭わない」と思うかもしれませんが、中傷する人物の方がネットを使っていたら、そんなことは関係ありません。普段、スマートフォンやパソコン、SNSを利用していない人でも、被害に遭う可能性があります。

被害が拡大する前に「適切な対処」と「スピードが重要」となるのです。

中傷対策1

被害は突然やってくる

③ 絶対にやってはいけないこと

ある日突然、ネット上に、「事件の犯人、実名と顔画像を特定!」「犯人の親族」と、虚偽の情報とともに自分の名前が書き込まれたら、気が動転したり腹も立ちます。

自身のSNSに悪口や中傷が山のように投稿されても、発信者が匿名ならば、相手の素性もわかりません。

相手の汚い言葉に対して、被害者が感情的になってしまうと、逆に火に油を注ぎ、取り返しのつかない事態に陥ります。

炎上や中傷の被害に遭ったら、絶対に反論や挑発をしてはいけません。

何を書かれても、紳士的な対応をとり、被害の証拠をできるだけ集めてください。

自分が利用しているSNSに、いきなり悪口や価値観を押し付けるような書き込みをされれば、誰だって嫌な思いをします。しかし反論すると、さらに悪化する危険もあります。

悪口や批判のリプライを一つひとつ拾って抗論すると、相手はかまってもらえると頭《ず》に乗って、どんどんエスカレートしていきます。

根本的に価値観が違う人物とやり合っても、得るものもなくストレスが溜まる一方です。

相手のレベルに合わせない。

SNSに乱暴な言葉を書くような人間の実像は、弱々しい人というイメージもありますが、中には平気で他人に危害を加えるような危険人物も潜んでいます。相手の素性がわからなければ、凶暴性があるかどうかもわかりません。

過去に、複数のブログに罵詈雑言ばかり書き込む人物がいました。

見かねたIT講師の男性が、サイト管理者に通報したことがきっかけで、一方的に恨みを買われ、刃物で刺されて命を奪われる事件も起きているので、決して侮ってはいけません。

中傷対策1
被害は突然やってくる

4 相手の誘いに乗らない

匿名性を悪用して嫌がらせをするような人物は、根本的に卑怯な人間です。少しでも反論すると言葉の揚げ足をとり、掲示板に転載されて、仲間を集うようなこともします。そうならないためにも、悪口のコメントには「スルー」が最善策です。いくら最初に誹謗中傷を書き込まれたとしても、自分も乱暴な言葉を使って相手とやり合えば、どちらが被害者でどちらが加害者なのか、関係性がわからなくなります。人権相談の窓口や、警察に相談に行った際に、「あなたが反応しなければ、ここまで大きな被害にはならなかったはずですよ」といわれてしまうかもしれません。

挑発してくる人物は、反論してくるのを待っているので、相手の誘いには乗らずに自分のペースに持ち込みましょう。

事件化や民事訴訟をせずに身の潔白を晴らすには、マスメディアなどの第三者が「事実

無根だ」と公表する方法も効果があります。

ニュースメディアに、「ネットの中傷被害」を取り上げてもらうように働きかけても、互いに文句を書き合っていれば、記事として取り上げてはもらえないでしょう。

突然の出来事に対して、感情をコントロールするのは難しいと思いますが、ネットに書き込まれる中傷や嫌がらせ行為に対しては、冷静に構えて、「**今は被害の証拠を集めているのだ**」と気持ちを切り替えましょう。

中傷対策1 被害は突然やってくる

5 被害証拠を保存する

自身のSNSや勤務先のホームページに、中傷や脅迫のコメントが投稿されたら、全ての被害証拠を保存しましょう。

中傷が起因で精神的な被害を感じたら、前後の書き込みを含めた画面をスクリーンショットで撮影して、いつでも印刷できるような状態にしておきましょう。法的措置を取ることも予測して、対象となる中傷の書き込みのURLと、投稿された日時をデータで必ず保存してください。

無断で自宅や車を撮影する人物や、学校や職場で不審者を見かけたら、その姿を撮影して画像を保存しましょう。被害証拠は法的措置をとる上で大きな役割を持ちます。

ネットの書き込み以外にも、被害と感じたものはすべて収集しましょう。無言電話や嫌がらせの電話があったら、必ず録音してください。実際に身の潔白を晴らすために効果的

なのは「罵声」です。

例えば、苦情の電話があった場合に、被害者側は相手の挑発に乗らず、敬語を使って丁寧に否定しているのに、電話口の相手は一方的に罵声を浴びせてくる……。

世間の人が知ったら、恐怖心で被害者に同情します。

警察やメディアが動いてくれなくても、自身のＳＮＳなどに悪罵の音声を投稿すれば、かなりの抑止力につながります。加害者が複数いた場合、こんな変質者と同類とみられる行動をした自分を恥じ、大半は嫌がらせ行為から手を引くでしょう。

被害の証拠を集めたら、**敬語を使い、丁寧な言葉で否定**してください。

そして最後に、「以降も侮辱や誹謗中傷が続いた際は、刑事告訴などの法的手段に移ります」と警告を加えましょう。

警察に相談に行くと、まず、「サイトを運営する事業者に削除依頼をしましたか？」と聞かれますから、事前に誹謗中傷の書き込みがあるプラットホームに対して、「**削除要請**」をしておきましょう。

「もうやりました。それでも削除には応じてもらえず、ずっと嫌がらせが続いているんです」と説明することで、「こちらでできる事は全てやった」という心情が伝えられます。

中傷対策1

被害は突然やってくる

6 被害を受けたら記録を残せ！

否定をしても中傷は止まらず、嫌がらせ行為によって、私生活にも悪影響を及ぼした際には、法的手段を取りましょう。

被害者は苛立ちや恐怖心が募り、冷静でいることは想像以上に大変です。

「これだけつらい思いをしてるのに何で誰も理解してくれないんだ！」

という気持ちが先走り、感情的になってしまう人もいます。

僕自身、ネットの中傷の被害者から相談を受けることがありますが、被害の苦しみからか、感情が高ぶり支離滅裂になってしまう人もいました。

警察署や弁護士事務所に相談に行く前に、心情を伝えるための「5W2H」をメモして書き出すのもいいかもしれません。

自分が何を伝えたいのかを、事前にシミュレーションしておきましょう。

Where（どこで）サイトの名称

中傷されている掲示板やツイッターなどＳＮＳの名称
「中傷のある書き込みとURLは必ず保存しておきましょう」

When（いつ）被害の日時

最初に中傷の書き込みをされた時期

What（なに）被害は何か

中傷が原因で学校や職場に居られなくなった・精神的な病を患った・仕事の妨害や業績が悪化・不審者につきまとわれる

Who（だれに）中傷している人物

相手が匿名で見当もつかない・元交際相手・ネットで知り合った人・職場関係の人など

Why（なぜ）中傷された理由

自分の投稿に腹を立てた・急に嫌がらせをされた・人間関係のこじれ

How（どのように対処したいか）

発信者の身元を特定したい。事件化して中傷した犯人に刑罰を下したい。弁護士には発信者に損害賠償請求をしたい

How much（費用はいくら）

弁護士に依頼する際、相手の人物を特定するまでの費用などの相場を確認

中傷対策2 警察・弁護士へ相談するには?

①警察署は総合病院

警察署は、「総合病院」だと考えてください。

病院は患者の病状によって、内科や外科など、治療する科が分かれています。警察も病院と同様に、事件によって捜査をする部署が分かれています。

例えば、名誉毀損や脅迫に関する犯罪は、「刑事課」です。リベンジポルノやストーカーは「生活安全課」が担当になり、そこに脅迫が加われば「刑事課」になります。

自身の経験でも警察には何度も捜査を懇願しましたが、中傷や殺害予告を理解してもらえず、被害届でさえ断られました。現在警察は、ネットの中傷被害に関する相談を受けますが、僕と同じような経験をされている人は少なくありません。

いくらひどい書き込みをされても、捜査を担当する部署が違う警察官や、普段、ネットをあまり利用しない警察官に出会うと、

「そんな書き込みなんて気にしなければいい」
「あなたがネットを使わなければいい」
「とりあえず様子をみましょう。何かあったら110番に電話をしてください」
と説得されて終わってしまいます。頼みの綱に拒まれたら、疲弊した心身にさらに追い討ちをかけます。

ここであきらめるのは本当につらいです。

被害者が泣き寝入りしないためにも、やらなければいけないことがあります。

大きく二つに分けると、「中傷の書き込みや風評被害の証拠を集めるのは、被害者の作業」で、「犯人を特定するのは、弁護士や警察の作業」です。

中傷対策2 警察・弁護士へ相談するには？

② 警察は事前予約が必要

中傷を早く解決するためにも、しっかりと手順を踏んでから警察に行きましょう。

近年はSNSが主流になっています。ツイッターやフェイスブック、ティックトックなどの事業者は、海外に本社があります。

ツイッターに誹謗中傷を書き込まれて、警察が捜査をしてくれた場合、警察は名誉毀損罪のツイートをした発信者の「通信ログの差し押さえ」を、アメリカのツイッター社に要請します。

その際にアメリカのツイッター社とは、日本語ではなく英語で手続きをします（日本にもツイッタージャパンはありますが、実際にはマーケティングと広告代理店の役割で、発信者情報の開示については、本社所在地であるアメリカに情報の提供を求めます）。

警察署の中でSNSを把握していて、さらに英語が流暢な警察官は、それほど多くはいらっしゃらないでしょう。

ネットの怖さを知っている警察官に出会うには、まず、警察署に行く前に一度電話をかけて、自身の被害状況を丁寧に説明した上で、

「刑事事件として取り扱ってもらいたいので、ネットの捜査ができる警察官は刑事課にいらっしゃいますか？」

と事前に確認してください。

そこで事件を担当してくれる警察官がいたら、お互いの予定を合わせて警察に行きましょう。

できる範囲でかまわないので、言葉づかいや態度、身だしなみにも気を配り、就職の面接のような気持で熱意を伝えてください。

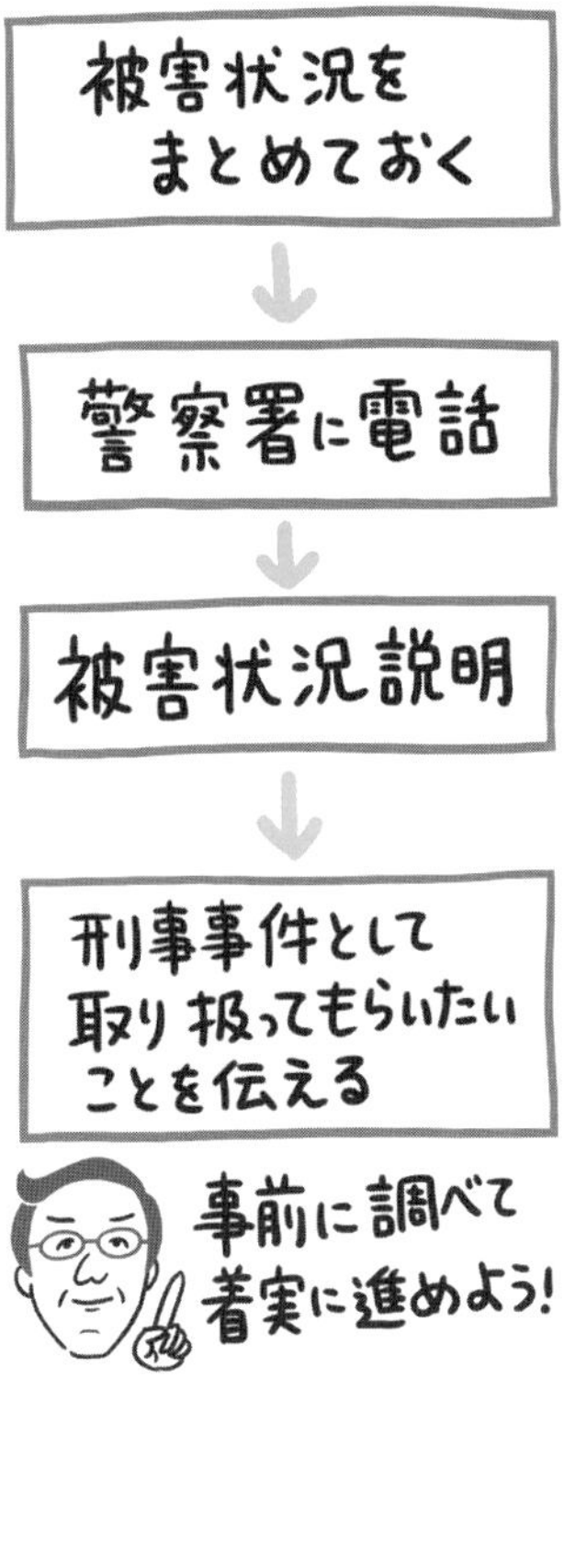
被害状況をまとめておく
警察署に電話
被害状況説明
刑事事件として取り扱ってもらいたいことを伝える
事前に調べて着実に進めよう！

中傷対策2
警察・弁護士へ相談するには？

③ 被害の深刻さを伝える

警察署に行くと、担当してくれる警察官が、自分のパソコンを持って相談室に入ってきます。警察官とは机を挟み、対面で会話をします。

中傷の深刻さを警察官に伝えるためにも、誹謗中傷の書き込みとURLをプリントアウトして、証拠の資料として用意しましょう。

プリントアウトした中傷などの書き込みの中から、侮辱や名誉毀損に該当するであろう箇所に赤線を引いておくと、相談を受けた警察官も被害状況を理解しやすく、警察官が自分のパソコンで被害先のサイトにアクセスすることができます。

捜査機関は今も紙が主体です。何か事件が発生して、捜査した過程を文章にまとめて検察に送ることを〝書類送検〟と呼ぶように、デジタル化が進む現代社会でも、司法は基本的に紙を使います。プリントアウトする手間は、「自分はここまでやりました」という熱意の表れだと考えてください。

僕も中傷の被害に遭われた人と会って、スマートフォンで中傷の書き込みがあるサイトの画像（スクリーンショット）を見せてもらいますが、相手が指先で書き込みを教えてくれても、正直とても見にくいです。自動スリープ機能が設定されていて、画面がすぐ暗くなり、書き込みが見えなくなることもあります。時系列で被害状況を説明してもらう際に誤作動が起きたり、途中で電話やLINEなどの連絡が入ると集中力に欠けます。

また、今はコロナ禍の影響で、お互いの顔を近づけたり、他人のスマートフォンを触るのにも躊躇するかもしれません。

狭い部屋に警察官が数人もいたら、被害者のスマートフォンやパソコンの画面だけでは文字も見えにくいですし、警察官の中には老眼の人もいらっしゃいます。画面を見ながら、自分の指先で中傷の書き込みを示すのも難しいでしょう。

警察官が複数人いる場合も、プリントアウトした書き込みが用意されていると、それぞれが被害状況を把握できるので、円滑なコミュニケーションがとれます。


時間と手間はかかりますが、警察官には紙でも被害を訴えましょう。

中傷対策2

警察・弁護士へ相談するには?

④ 警察を味方につける

警察官に会って被害状況を伝える際に、何度警告をしても中傷をやめない人物がいたとしたら、

「SNS上で『刑事告訴』の忠告をしたにもかかわらず、嫌がらせを続ける人物は、『どうせ捜査なんてできない』と警察を見くびっているに違いありません」

と自分だけではなく、「警察を軽視している」と、やんわりアピールしましょう。

警察官の中には被害者が傷つくことよりも、**警察のプライドが傷つけられた方がやる気が出る**人もいます。

相談に乗ってくれた警察官とのやりとりは、全てその場でノートにメモしておきましょう。そして、捜査をしてもらえたら指示に従ってください。

警察に行き、相談した内容をSNSなどに投稿すると、犯人が逆上したり、証拠隠滅や逃亡の恐れもあるので、内密にした方が賢明です。

また、もし、警察官にひどい対応をされても、あきらめずに何度もチャレンジしてください。再度、被害証拠を集めたり、多くの窓口に悩みを伝えましょう。法務局に助けを求めることもできますし、新聞社や報道機関に訴えて、メディアを味方につけるのも一つの手段です。被害状況が公表されれば、世間は中傷している人物に批判が集まります。世論に後押しされて、警察が動いてくれる場合もあります。

ただし、最初に相手とやり合ってしまえば、第三者から見れば「ただのネットのケンカだろう」という印象を受けるので、期待通りの結果には及ばないと思います。

「相手の挑発には乗らない」

反論しないのは保険です。

「中傷の被害はここまで切羽詰まるのだ」という最悪な状況を予測しておきましょう。中傷の被害に遭った時は、「冷静さとあきらめない気持ち」

これがポイントです。

なにぃ〜〜!!
許せん!!
「警察なんてどうってことない」っていってました
ホントひどいんです!!

中傷対策2

警察・弁護士へ相談するには？

5 弁護士を選ぶポイント

弁護士さんにもいろんなタイプの人がいます。

一番の基本は誠実さだと思います。次に、「気が合うか合わないか」。ここは重要です。

相手との和解や裁判の長期化などを考えると、弁護士さんとの相性は大きなポイントになります。

最近は、ホームページ上で料金設定を掲示している弁護士事務所もあります。

サイトや携帯電話の会社によっても、開示請求に対する反応はさまざまです。契約する前にいくつかの弁護士事務所に相談しましょう。

大体の弁護士事務所は面談の前に、相談フォームにメールで連絡することが多いようです。その際には、先ほどの「5W2H」を参考にしてください。

◎自分が被害と感じた言葉や画像に関して、法的責任が追及できるか。
◎今まで何件ぐらいネットの中傷事案を扱っているか。
◎相手の人物の情報開示まで、およその時間と費用の相場はどのくらい必要か。
◎どのサイトで開示をしたことがあるか。
◎名誉毀損や侮辱罪など、刑事事件でも取り扱ったことがあるか。

着手金や報酬料など気になることは、事前にメモに書き出しておくことをお勧めします。

最近は誹謗中傷の被害を受けると、損害賠償金で儲けることができるような話をされる弁護士もいますが、現実はそんなに甘くはありません。実際に膨大な時間と労力を費やして、中傷する人物の特定にたどり着き、いざ損害賠償請求しても裁判所に現れない人物もいます。

もともと匿名で中傷してストレスを発散するような人は陰湿な性格ですから、反省して謝罪をしたり、損害賠償金を支払う人物は稀です。

相手に支払い能力がなければ、弁護士費用など全て被害者が負担しなければなりません。

それらを踏まえて、弁護士さんに依頼をしましょう。

中傷対策3
トラブルに巻き込まれないために

①書き込みは世界中の人が見ている

ＳＮＳを利用すれば、世界中に自分の情報が発信できて、たくさんの人と交流もできます。私生活やビジネスにおいての人脈を作り、自分と異なる視点の意見を学ぶこともできます。知らない情報を得ることで、知識や価値観の幅を広げる素晴らしいツールです。

しかし、「好意的な人だけではなく、悪意や敵意がある人も閲覧する」という意識を持つことが大事です。友達だけの閲覧制限をしていても、その友達が他人に公開してしまえば、閲覧制限の効力はありません。

人間関係はとても複雑です。

相手の立場や状況を把握していても、揉めてしまうケースもあります。

どんなに仲がよくても、言葉の行き違いで誤解を招いてしまうことだってあります。

面識のある友達同士のＬＩＮＥトークでも、相手の表情や声のトーンがわからず、文字だけで気持ちを伝えるのは難しいのです。

ＳＮＳや掲示板に書き込む際は、つい独り言のような感覚で投稿している方もいますが、言葉が犯罪になったり、デマの拡散や誹謗中傷の加害者になる危険もあります。

特に政治や思想、人権に関わるプライバシー、災害時などの生命や安否に関わる情報に関しては、慎重に情報を発信しないとトラブルに巻き込まれてしまいます。

ネットの掲示板やＳＮＳは、友達同士のメールではなく、世界中の人たちが見ている公共の電波だと考えてください。

バカッターやバイトテロのように、友達にウケると思って投稿した画像が、後に取り返しのつかない事態になります。一度でもネットに拡散されたら、完全に消去するのは不可能です。

ＳＮＳは見ず知らずの人間同士が自分の意見を投稿している場ですから、価値観の違いが原因で人間性まで否定されれば、争いごとが起きるのも無理はありません。

自分の言葉や画像を世界中に公開したときに、誰かに迷惑が及ばないとはいいきれないのです。

中傷対策3

トラブルに巻き込まれないために

②加害者になる人の共通点

メディアやネットで情報を調べるときは、冷静さを保つことが大切です。

ところが、これがなかなかできないのが人間の性です。

実際に僕も自信はありません。イライラしている時は判断力が低下しているので、SNSには何も書き込まず、情報から離れるようにしています。

誹謗中傷する人間には共通点があります。

まず、一人でいる時間が長い。周囲の目も気にせず、注意してくれる人が身近にいないので、ストレスのはけ口に使う人が多い。

僕の事件のときの加害者たちは、「書いた時期に、職場の人間関係や、家庭の鬱憤《うっぷん》がたまっていた」「精神的に不安定で、ストレスがたまっていた」と口をそろえたように話していました。

近年、ネットの中傷被害に遭われた方々と話したときも、中傷の書き込みをしていた人物の動機を、警察や弁護士を介して聞いたら、同じような内容でした。

僕自身もツイッターを利用していますが、ツイッターに流れているのは〝情報〟よりも、喜怒哀楽の〝感情〟が駆け巡っています。そして、この四つの感情で一番パワーを持っているのが「怒り」のように思います。

事件や事故、政治や日常生活の中にある〝許せない〟という感情が投稿されると、情報に感情が付随して、多くの人と怒りを共有したくなります。

「怒っているのは自分だけではない」という安心感と、「悪い奴を懲《こ》らしめたい」という正義感をはき違えると、集団ヒステリーのようなパニック状態に陥ります。

デマであっても、リツイートや「いいね」の数で、真実だと受け取る人もいます。

その空気に惑わされないように自制心をキープしなければいけませんが、怒りを自分一人で防ぐのはなかなか難しいと思います。

中傷対策3

トラブルに巻き込まれないために

③ 自分の感情をコントロールする

ストレスがたまり、怒りの感情を蒸留する場所がネットになってしまうと、ヤフコメやツイッター、掲示板など、各所で言葉の暴力を振るうようになります。

「匿名なら身元がバレないだろう」と錯覚して、普段は口に出せないような、人を傷つける言葉を平気で書き込んでいるうちに、中傷の依存症になってしまう危険があります。

SNSや、レビューに文句ばかり書いている人の過去の投稿を読むと、悪口しかありません。本人は正義のつもりで怒りをぶつけたのに、蓋《ふた》を開けたら、デマや中傷に加担するケースもあります。

これだけ情報が錯綜《さくそう》している世の中で、冷静に見極めることは極めて困難なのです。

加害者にならないためにも、ちょっとでもストレスがたまっていたり、イライラしているときは、情報から離れることをお勧めします。スマートフォンや、パソコンのコントロールよりも、まずは自分の感情をコントロールすることで、加害者になる危険性を防ぐことができます。

ネットの特異性として、誤った情報でも同じ意見の人が数人いるだけで、真実だと認識する人が多いように感じます。少数派の勝手な解釈でも、特定の意見が正論として流布する傾向があるのです。また、小さな事実に大きなデマを織り混ぜることで、真実のようにねつ造されている情報も多くあります。

本来、ＳＮＳを利用すれば世界中とつながり、視野を広げられるはずでしたが、エコーチェンバー（特定の思いが増幅される状態）によって、逆に視野を狭めてしまい、偏った価値観になる恐れがあります。誤った情報に近づきすぎると、正しい情報を受け入れられないほどに精神が麻痺します。情報との距離感を保つためには、家族はもちろん、学校や職場、多くの友人と直に接して、ネット以外の情報と触れるようにしましょう。

中傷対策3

トラブルに巻き込まれないために

④ SNSはソロキャンプ

SNSは、大自然に囲まれたソロキャンプのようなものです。

山でテントを張り、一人きりの空間で癒しの時間を過ごしていたときに、突然の豪雨に見舞われることもあります。急な雨で気温が低くなれば、テントの中に入り、冷たい雨風が入らないようにして暖をとります。わざわざテントの中に、冷たい雨風を入れる人はいないはずです。

突然、冷たい突風（悪口）が吹いてきても、そんなものには触れないようにしましょう。冷たい風にストレスを感じれば、それは体に毒となります。

人を傷つける言葉は、心のテントに入り込まないようにジッパーを閉めて、「シャットアウト！」。それが安全な対策です。

清々しい風は、自分を応援してくれる優しい言葉です。心の暖気だと思って、テントの中に取り入れてください。

ＳＮＳを利用していると、急に絡《から》んでくる人間もいますが、そんな人物とは関わることも、反論する必要もないと思います。

ＳＮＳは特別なものではなく、キャンプ場のようなものだと思いましょう。一人で楽しんでいる最中に、素性も明かさずにいきなりテリトリーに入ってきて、**自分の価値観を押し付けてくる人と関わる必要はない**のです。できることなら近づきたくもないし、避けたいと思うのではないでしょうか。感情的になるのは人間の性ですが、ＳＮＳは心の循環をするような気持ちで利用しましょう。

普段は物静かな人でも、ネットで匿名になったとたんに、攻撃的になる人もいます。悪口を書き込むような相手は、「礼儀もわきまえず、いきなり人のテントに入り込むような変質者だ」と思い、「君子危うきに近寄らず」という心構えでブロックしましょう。

中傷対策3

トラブルに巻き込まれないために

5

逃げるのではなく離れる

街を歩いていて、偶然通りかかった人物がわけもわからず、わめき散らして文句をいってきたら、あなたはどうしますか？

相手に対してやりかえしますか？　それとも「変なヤツとやり合ったところで時間の無駄だ」と判断して避けますか？

僕は後者を選びます。見ず知らずの無礼者とは関わりたくないし、口論してもプラスになることはありません。文句だけでは済まず、いきなり刃物を振り回すような危険人物だったら、自分がケガをするかもしれない。エスカレートしたら、自分が加害者になるリスクもあります。だから僕は関わらないようにしています。

ネットで問題が起きたときに、たとえログアウトしたとしても、すべてはリアルの自分に責任が降りかかってきます。

外出中も、ネットにログインしているときも、どちらもリアルの世界の出来事です。ネットとリアルとを区別せずに、「どちらも現実なのだ」と意識しましょう。

悪口には腹が立ちますが、反論すれば、「人を不快にして喜んでいるような、卑怯者のレベル」に成り下がってしまいます。

「ネットの悪口や中傷で傷つく人は、SNSには向いていない」という人もいますが、僕は逆の意見です。**平気で人を傷つけるような人こそ、SNSに向いていない**と思います。

道路にたとえるなら、「煽《あお》り運転をされるのが怖いなら、車を運転するな」と主張しているのと同じです。SNSも車の運転も、向いていないのはルールを守れない身勝手な人間なのです。SNSに文句を書いている人物と揉めて、たとえ論破したとしても、それは時間の無駄遣いです。

冷静に考えれば、その時間を一人でのんびりしたり、家族や友人と過ごしたり、何かを学ぶことや資格を取得するための時間に費やして、人間力を高めることもできます。

運動したり、動物と遊んだりと、有意義な時間の使い方はいくらでもあります。

息抜きで利用しているSNSが、ストレスの原因にならないためにも、

「陰湿な人間に対しては逃げるのではなく離れる」

これがベストです。

中傷対策3

トラブルに巻き込まれないために

⑥表現の無法

「SNSや掲示板などに、自分の価値観や感情を言葉で表現する」ことを、「表現の自由だ」と主張する人もいますが、表現の自由は何を書いてもよいというわけではありません。何を書いてもいいなら、デマや脅迫、差別も認められます。

そのような言葉は「表現の自由」ではなく、「表現の無法」になるでしょう。

憲法21条1項に、「集会、結社及び言論、出版その他一切の表現の自由は、これを保障する」と規定があり、同条2項は「検閲は、これをしてはならない。通信の秘密は、これを侵してはならない」と規定があります。

憲法にある表現の自由の規定には、「他人を侮辱する行為や、中傷、差別を含める」とは定めていません。

ネットに情報公開する人は、自分が表現者だと自覚することも大切です。ネットだけではなく、対面でも自分の感情を第三者の前で表現する際には、必ず「責任」が伴います。

普段から誰かの批判や、悪口の書き込みを見ていると、「みんなもやっている」と勝手な解釈でボーダーラインを決めてしまい、自分が暴走しても気がつきません。

ネットサーフィンをしていて、批判や差別の書き込みを目にしたら、まったく違うサイトやコミュニティに場所を移し、「みんなが批判をしているわけではない」と**感覚をリセット**しましょう。

中傷対策3 トラブルに巻き込まれないために

⑦ 正義と暴力は紙一重

誹謗中傷する人たちの中に、「モラルに反する人を許さない病」が蔓延《まんえん》しているように思います。

「人を非難することで『いいね』がもらえたら承認欲求につながる」

「自分は正しいことをやっていて、賛同してくれる人がいる」

そう思い、社会の役に立っているような感覚に陥《おちい》るのではないでしょうか。

正義と暴力は紙一重です。

むやみに正義を振りかざすと加害者にもなり得ますが、その怖さを知らない人が多くいるようです。

新型コロナウイルスが蔓延して自粛生活が長引き、自宅で過ごす時間も長くなりました。

こうした背景もあり、ストレスのはけ口なのか、中傷やデマだけでなく、コロナウイルス

に感染した人や、医療従事者の方々に対する偏見・差別が日本中で起きました。

新型コロナウイルス感染拡大に伴い、外出自粛が要請されている最中、飲食店やライブハウスには、罵倒や脅迫まがいの警告文を店先に貼り付ける、「自粛警察」と呼ばれる人が現れました。取り締まる権限もない一般市民が、過剰なモラルを強要したのです。県をまたいで移動した他県の車や、バイクのボディに傷をつける、「他県ナンバー狩り」という犯罪行為までエスカレートしました。

石川県では、コンビニエンスストアに立ち寄った他県ナンバーの車を、店主が追い返しました。しかもその手には、カッターナイフを握り締めていたそうです。

正義と善悪のジャッジを、自分一人で決めると歯止めが効きません。モラルに厳しい人ほどマナーに欠けているように思います。

中傷対策3
トラブルに巻き込まれないために
8

正義感より正疑感

デマや裏付けのない情報でも、「悪者だ！」と一方的に決めつけて叩く人は、「悪を成敗している感覚」なので罪の意識がありません。

自分では世直しのつもりで、これを「正義感」だと考えているのでしょう。

正義は人の価値観で様変わりします。

人助けや正々堂々というわけでもなく、身元を隠す「匿名」という立ち位置で、しかも不特定多数の「集団」で、悪意ではなく善意で、人を吊し上げるのです。

暴言や過剰な批判も、正義ではなく暴力になります。僕は弱い立場の人を守るのが「正義」だと思うので、私的制裁やネットリンチをする人とは、「正義」の概念が異なります。

凶悪な事件が発生すると、ネット上では特定班と呼ばれる人物が、犯人を追跡して、顔写真や名前、家族構成や住所を晒します。情報の真偽に関係なく、トレンドブログやSN

Sに拡散します。

特に未成年が起こした事件になると、少年法に基づき、犯人の氏名などが特定できる情報は報道されません。どんなに残酷非道な犯行であっても、少年という理由で罪が軽くなる司法制度に、処罰感情が湧き上がります。その気持ちは理解できます。しかし、人を裁く権利はありません。感情を抑えるために、私たちは何をするべきか考えましょう。

卑劣な事件が起きると、加害者だけではなく、被害者が非難されることもあります。

この状況で苦しんでいるのは誰なのかを考え、被害者やそのご家族を守る目線を持ちましょう。中傷の加害者にならないためにも、メディアやネットの情報、そして自分の行動に対して、それが本当に正しいのか、「自分の正しいという判断を疑う気持ち」も必要です。

これからの時代は、正義感よりも正疑感を持たないと、加害者になる恐れがあります。

信用や社会的立場を失わないためにも、匿名や実名に関係なく、「ネットに書き込んだ言葉を家族や公衆の面前で話せるか、知り合いの前でも同じ行動が取れるか」を考えましょう。感情に流されず、

「みんなの前でできないことはしない、書き込まない、煽《あお》らない」

という気持ちが大切です。

中傷対策3
トラブルに巻き込まれないために

9 ネットはピラニアの大群

「自分は絶対に正しい」という意識が強い人は、SNSやコミュニティーサイトで、自分と価値観が異なる人を見かけると、「許せない！」という思いからか、怒りの感情を吐き出さないと気が済まないようです。

SNSに投稿した本人には差別した意識はなくても、過剰に反応する人は、「これはヘイトスピーチだ！」と勘ぐり、差別主義者のレッテルを貼られて批判されることもあります。

SNSは拡散と、炎上が起こりやすいツールですから、バイトテロや悪ふざけなどの不適切投稿をしたら、瞬く間に情報が流布して、投稿者の個人情報がさらされます。ちょっとしたミスも許さない人は、叩ける人物を探すために、ネットを巡回しているのです。

「悪い奴は懲らしめたい！」

この「モラルに反する人を許さない病」の人は、自分のことは棚に上げて、相手を責め立てます。ミスをした投稿者の家族までネットにさらして、社会的制裁を加えます。学校や会社に勤務していたら、その場から追い出すことを正義だと思っています。

インターネットはアマゾン川と同じです。

腹を空かしたピラニアの大群が潜《ひそ》んでいます。人の間違いを見つけたら、群衆で押し寄せ、エサとなる人の名誉を集団で食いちぎり、そして飽きたらまた次の獲物を探す……。

不用意な書き込みや動画の投稿は、命取りになります。

その飢えたピラニアは、共喰いもします。過ちを正そうと思った心情は過激になり、中には批判の度を超えて、中傷や業務妨害もします。やり過ぎた人が警察に捕まり、氏名がメディアで公表されたら、仲間だと思っていたピラニアが一気に襲いかかるのです。

プロバイダ責任制限法を改正して、

「中傷した投稿者の特定を簡素化し、警察が素早く動いて、実名報道に踏み切る」

ということになれば、中傷や「私刑」の抑止力に繋がると思います。

「毒をもって毒を制する」やり方しか手段がないかもしれません。

残念ですが、中傷する人たちには警鐘を鳴らすよりも、彼らに恐怖心を抱かせなければ被害は防げないと思います。

中傷対策3
トラブルに巻き込まれないために

⑩ SNSはプールと同じ

SNSに投稿した画像を、誰がどのような目的で見ているのか、投稿した本人にはわかりません。保護者は投稿した幼児の画像を、「変質者や小児性愛者が見ている」とは考えもしないでしょう。

児童を性の対象として見ている人物が、「いいね」を押したり、子育てに悩みを抱えた母親になりすまして、好意的なコメントを送って近づいてくることもあります。

そうとは知らず、善意のつもりでお風呂や水遊びのやり方を教えてあげようと、必要以上に子どもの画像をアップしてしまう……。騙《だま》すのは難しいことではありません。

あるサイトでは、似たような性癖の集団が、どこからか拾ってきた「肌が露出している児童の画像」をみんなで持ち寄り、そこには目を塞《ふさ》ぎたくなるような言葉が書き込まれていました。

被害は女の子だけではなく、男の子も狙われます。これは保護者同士で気をつけるようにアドバイスをしたらいいと思います。よかれと思って直接注意を促すと、「うちは閲覧制限をしているから大丈夫」と逆に気分を害する人もいるでしょう。しかし、その過信が徒《あだ》となって多くの子どもが被害に遭っています。

トラブルは親の管理責任になります。

保護者同士で話す機会があれば、「閲覧制限もバレるみたいだし、危ない人も見ているから、子どもの肌の露出には気をつけろといわれた」と丁寧《ていねい》に話をして、「ＳＮＳに子どもの肌の露出をさらすのと、子どもが危険にさらされるのは比例している」と伝えましょう。「親が子どもにやってはいけないこと」を教えてあげるのです。

◎プールに行って水着で隠す場所は、スマートフォンの前でも隠す。
◎「誰にも見せない」は絶対にウソ。「拡散するぞ！」と後で脅される。
◎裸の画像は撮っちゃダメ！　友達にも送っちゃダメ！
◎自分で裸の撮影をしても、児童ポルノ製造になる。
◎知り合いから送られてきたわいせつ画像を保存したり、友達に転送するのもダメ！
◎たとえ被害者になっても、「裸の写真を撮った本人も悪い」と世間は冷たい。

中傷対策3 トラブルに巻き込まれないために

⑪ 相談を受けたときには

ネットには、楽しさの裏側にさまざまな危険が潜んでいます。

僕のツイッターやブログには、SNSのいじめや、リベンジポルノの被害に遭っている未成年者からの悩みが寄せられます。

そこで聞くのが、「簡単には誰かに相談できない」という現実でした。

SNSのいじめに悩んだ子どもが、勇気を出して親や先生に相談したのに、「スマホなんか持っているから悪い」と怒られて、スマートフォンを取り上げられた事例もありました。SNSやソーシャルゲームで知り合った人物に、個人情報を教えてしまい、急に脅されたり、裸の画像を送ってしまった子どももいます。

被害に遭った子は、悩んで僕に相談してくれました。被害状況を教えてもらい、「親や、学校の先生に相談できない？」と尋ねると、みんな「それはできない」と答えます。

「相談したら、スマホを取り上げられる」「『そんな写真を送ったあなたが悪い』と怒られる」と、誰にも相談できず苦しんでいました。

「子どもが何に興味があって、誰と交流して、どんなことをしているか」

おそらく一緒に生活する親よりも、子どものスマートフォンのほうが、子どもの心理状態をよく知ってるように思います。

「スマートフォンは、自分の分身のような存在だ」と思っている子どももいます。

身近な人に悩みを打ち明けられない子どもは、スマートフォンなしで誰に相談するのでしょうか？

スマートフォンを取り上げることは、悩みを解決する道を塞ぐマイナスの面もあります。

保護者や学校の先生は、子どもにトラブルが起きたら、まず寄り添うことを最優先にしてください。叱るのは全てが解決した後です。

教職者は子どもを救えるだけのパワーがあります。

裸の画像を送った子どもは、自分の行動を後悔しています。まず被害者として接してあげてください。ネットにルールがあるように、これは相談を受けた側の、守るべきルールだと思います。

中傷対策3
トラブルに巻き込まれないために

⑫ 災害時のデマに惑わされない 1

新型コロナウィルスの惨禍《さんか》に、世界中がパニックに陥《おちい》りました。

コロナウイルスに関連するデマは世界中で発生して、日本でも真偽不明な情報が流布しました。**事実よりもデマの方が、伝播力とスピード感があります。**

マスクやトイレットペーパー、消毒液やうがい薬などの買い占めも社会現象になり、大型スーパーに入荷したトイレットペーパーに客が押し寄せ、われ先にと奪い合う映像が、SNSで拡散しました。陳列した商品が瞬《またた》く間になくなる様子がニュースで放送されると、視聴者は不安を抱き、衝動的に紙類を買い求めて、全国で品不足になりました。

いくら「すぐに入荷する」と報道されても、スーパーで人と人が品物を奪い合うような映像を見れば、気が気ではありません。

ここ数年でSNSの利用者も増えているので、コロナウイルスの感染予防に関する情報も多く、チェーンメールやSNSなどで溢《あふ》れ返りました。

「医療関係者からの情報によると、ウイルスは熱に弱く、お湯を飲めば殺菌効果がある」といった偽情報が拡散したり、「花こう岩には殺菌作用がある」といった何の根拠もないデマが瞬く間に拡散して、墓石などに使われる「花こう岩」が、フリマサイトのメルカリで高値で出品されていました。

実在しない病院名を騙《かた》り、予防策などの虚偽情報も広がりました。

知人からその類いのメッセージが送られてきた人は、デマだとは気がつかずに、よかれと思い、不特定多数が見ることができるSNSに投稿してしまった人もいます。

最初に送った人も、SNSで拡散した人も、誰かを騙すつもりではなく、人助けのつもりで情報の拡散や共有をしてしまったのです。

デマ情報を受け取った人の中には、「相手は善意で送ったのだ」と理解してくれない人もいるでしょう。人間関係にヒビを入れないためにも、しっかりと情報をふるいにかけなければいけません。

デマやフェイクニュースに騙されて痛い目に遭えば、自身のリテラシー能力は上がるのでしょうが、できるだけそれは避けたいものです。

中傷対策3
トラブルに巻き込まれないために

13 災害時のデマに惑わされない 2

「災害時には何を信じてよいのか？」ということは、難しいことではありません。僕も、「デマを見分けるために必要な事は何か？」と、報道や書籍をたくさんチェックしました。「デマに騙されないために、何をするべきか」という特別番組がテレビで放送されたときに、気になって視聴していたら、番組の最後に司会者が、「デマに騙されないようにするには、まず落ち着いて冷静に判断しましょう」と一言触れて、エンディングを迎えたときは拍子抜けしてしまいました。

そんなことは誰でもわかります。

人間は目の前で予測もしない出来事が発生すれば、誰でも気が動転します。

そんな状況でも冷静にいられるコツを知りたかったのに、釣りタイトルにまんまと騙されてしまいました。今回のような新型コロナウイルスや地震や豪雨などの自然災害は、いつ自分の身に降りかかるかわかりません。

平常なときに非常を考えて、想像力を働かせましょう。

いざというときのために、生活必需品は常日頃から備えておくのです。電気やガス、水道などのライフラインが遮断された状況が、1週間以上続くと想像してください。自分の生活で何が必要なのかの見当がつきます。何も起きていないときに、非常事態をイメージして、必要最小限の生活必需品を1か月分備えておけば、気持ちに余裕ができます。

実際に、コロナウイルスが発生して、トイレットペーパーやマスクが品不足になったときも、僕は普段から約1か月分の生活必需品を備蓄していたおかげで、情報に惑わされずに済みました。

この余裕が冷静さを生み出すコツのように思います。

品不足になったときには、普通の使い捨てのマスクが1枚500円で販売されていました。フリマサイトなどに高値で販売する「転売ヤー」も出現して、あまりの高額にマスクの転売を規制する法律まで施行されました。

パニックになる前から日用品を備えておけば、高値で購入する必要もありませんし、本当に困っている人に分けることもできます。

中傷対策3
トラブルに巻き込まれないために

14 災害時のデマに惑わされない 3

災害が発生して避難したときに、切り傷を負ってしまった……。
ライフラインがストップして、1週間以上お風呂にも入れない……。
真夏や真冬に急な停電が発生した……。
危機回避をするには何が必要なのでしょうか？
まずは緊急事態をイメージして、何が必要なのか想像力を働かせましょう。
そして必要最小限の生活必需品を事前に買い揃えておく。これは誰でも実践できます。

◎注意喚起を促すチェーンメールの存在を知っておく。
◎日頃からデマ情報（東日本大震災時の石油コンビナート火災や、コロナウイルスにはお湯に殺菌効果があるなど）に対する免疫力を作る。

◎災害時には必ず、外国人窃盗団の情報が流布する。
◎その情報がデマやフェイクニュースだったときのことを考える。
◎ネットから離れて、家族や知人に「この情報どう思う？」と聞く。
◎「専門家や関係者からの情報」と書いてあっても、疑う気持ちを忘れない。
◎助かる方法や防げる手段を見聞きしたら、最初の情報提供者の身元を調べる。
◎情報提供者がどんな人物なのか、過去の投稿内容を調べる。
◎病院名や団体名が明記してあった場合は、実在するかどうかネット検索をする。
◎リツイートや「いいね」の数で正誤の判断をしない。
◎身元不明や根拠のない情報は、誰にも転送しない。
◎政府や病院の正式な公表もなく、出典元や発信者が不明な情報は、自分のところで止める。

もし、デマに騙された人がいて、周囲に責められていたら、怒らずに見守りましょう。
それが心の余裕です。

中傷対策3

トラブルに巻き込まれないために

⑮ スマホのトラブルは保護者の責任

子どもにスマートフォンを買い与えれば、子どもは自分の所有物だと思います。

しかし契約するのは保護者の名前です。

子どもが何かトラブルが起こしたら、全て親の責任になることを伝えてください。

スマートフォンを使っていると、1日があっという間です。しかし夢中になり過ぎると、「ネット依存」や「ゲーム中毒」に罹患《りかん》するといった危険な側面も潜んでいます。

保護者が「自分の携帯電話は自分で払いなさい」と促《うなが》すと、高校生になればアルバイトで稼げるので、利用制限や使用時間の注意をしても耳を傾けてくれません。

後悔しないためにも、子どもが社会人になるまでは、利用料金は必ず保護者が支払ってください。親が「私はネットのことはあまり詳しくないので、子どもに任せています」というのは、「放置している」と同じ意味です。

子どもをネット依存やゲーム中毒にさせないためにも、スマートフォンやゲームの利用時間に、制限をかけるべきだと思います。「ルールを破った場合」を予測して、利用法についてのペナルティーを設定しましょう。

でも、思春期の子どもに対して、親が一方的に作ったペナルティーを押し付ければ、子どもも反抗するのではないかと思います。もしそのペナルティーを課せられても、「親が勝手に作った罰だろ！」と反発して、逆効果になるかもしれません。

ですから、**子どもには本人が守れるペナルティーを自ら作らせてください。**利用時間を守らなかったらどうするのか、自分でできることを考えさせましょう。

そうすることによって自制心が芽生え、責任感を持つようになります。

ネットのルールと情報モラルは、早い段階から身につけておくべきです。

中傷対策3

トラブルに巻き込まれないために

⑯ 子どもとアプリを共有しよう

SNSやアプリなど、親がわからないことを子どもは知っています。しかし、スマートフォンやソーシャルゲームで、子どもが誰と交流しているのかを親は知りません。

そこで、**親子でアプリやゲームを一緒に利用する**ようにしましょう。そうすれば、どんな内容なのかがわかります。

話が合えばその時間を共有できます。**適切か危険なものか、必ず保護者がチェックしながら寄り添って利用してください。**わからないことは子どもに教えてもらいましょう。

約束を破ったときのペネルティーとして、「スマートフォンやゲーム機を取り上げる」というルールを作っている保護者の方がいらっしゃいます。心配するお気持ちは理解できますが、「没収」ということにすると、何かトラブルに巻き込まれたときに、「没収される」という恐怖心から親に相談できず、「話す」のではなく「隠す」ようになります。

子どもにとって、スマートフォンやゲームは、友人とのコミニケーションをとる上で、とても大切なものなのです。

没収は〝話しやすい環境〟の妨げになります。ペナルティーは、「利用時間の制限」「家事の手伝い」「学習時間を増やす」など、ご家庭の状況に合わせて、親子で相談しながら作成しましょう。

子どもが普段からどのようなサイトを利用して、どのような人と交流して、どんなアプリを使うか……。

親が知るには限界がありますが、トラブルは決して他人事ではありません。

ＳＮＳやオンラインゲームには、優しい言葉で近づいてくる性交目的の犯罪者が多く潜んでいます。子どもには個人情報の流失や犯罪の手口を、上から目線ではなく、横から目線で教えてください。

中傷対策3

トラブルに巻き込まれないために

17 子どものサインに気づく

いじめを受けたり、不適切投稿をされたり、個人情報をさらされたり、ＳＮＳなどで知り合った人に裸の画像を送ってしまったり……。**子どものトラブルは身近にあります。**

子どもがインターネットに関連する事件に巻き込まれたニュースを見ていると、事件が発覚した理由は２つあります。

一つは警察がネットを巡回している「サイバーパトロール」によるものと、もう一つは親が子どもの異変に気づいたからです。

子どもの様子がいつもと違うので話を聞いたところ、スマートフォンのＬＩＮＥトークや自画撮りのわいせつ画像に驚き、警察に相談して、事件に巻き込まれたことを知ることが多いようです。

子どもが、自分のお小遣いでは買えないような高級ブランド品を身に付けていても、親のクレジットカードを無断で使ってゲームに課金していても、気づかない方がいます。
これは子どもが無意識に発しているSOSのサインです。
いじめや架空請求、詐欺被害、リベンジポルノなど、トラブルは身近に潜んでいます。

◎スマートフォンを肌身離さず持っていたのに、急に触れなくなった。
◎スマートフォンの操作や、何か閲覧しているときの表情が、以前に比べて暗くなった。
◎スマートフォンの画面を裏返しにしたり、急に遠ざけるようになった。
◎スマートフォンに触れているときに、よくため息をつく。

普段から子どもの表情や仕草を見ていて、その異変に気づくかどうかという親の視線は重要です。

子どもを「見張る」のではなく、「見守る」という気持ちで接してください。

中傷対策3
トラブルに巻き込まれないために

⑱ スマホを安全に利用させるための十箇条

ネット依存や、ゲーム依存に陥る青少年は、年々増加傾向にあります。

以前、ネット依存の治療を行う専門の先生とお話しした際に、「診察するまでの予約で、半年待ち」とおっしゃっていました。それだけ深刻な問題のようです。

子どもがネットに興味を持つと、いろいろな情報を友人同士のコミニケーションで得ることができます。中学生にもなれば、情報交換によって、子どもの方が大人よりもネットの知識が豊富になるかもしれません。

いじめの加害者や犯罪に巻き込まれないためにも、保護者がしっかりと危険性を教えてください。情報モラルや法律は子どもだけでなく、保護者も一緒に学ぶと効果的です。

①スマートフォンをどのように使うのか、子どもに目的を聞く。

②警察庁や法務省のホームページで、ネットの危険性を紹介している動画を一緒に見る。
③スマートフォンは子どもの所有物ではなく、「親が貸している」と教える。
④料金は子どもが成人するまで、保護者が支払う。
⑤ルールや利用時間の制限、ペナルティーは子どもに作らせる。
⑥ペナルティーとしてスマートフォンの没収はなるべく避ける。
⑦スマートフォンの機能を制限する、「ペアレンタルコントロール」を利用する。
⑧アプリをインストールするときは目的を聞いて、そのアプリを保護者も利用する。
⑨子どもが使うＳＮＳやゲームのアカウントは、親も管理する。
⑩フィルタリングを設定しても、解除方法がネットに書いてあることを知っておく。

中傷対策3

トラブルに巻き込まれないために

19 トラブルに巻き込まれないために

◎自分が投稿した言葉や画像は、家族や学校や職場の人も見ることができる。
◎閲覧制限をしていても情報は漏れる。
◎たとえ匿名でも透明人間ではない。身元は必ずバレる。
◎「その内容は投稿しないほうがいいよ」とアドバイスしてくれる友達を作る。
◎ネットは現実と地続きです。全てリアルの自分の責任。
◎感情に流されず、投稿する前に一度指を止めて、「問題はないか？」読み返す。
◎批判や陰謀論で気になったときは、閲覧だけにとどめておく。
◎ネットに書き込んだ言葉でも犯罪になる。
◎軽い気持ちで投稿した言葉や画像には、重い責任が伴う。
◎暇つぶしで投稿した言葉や画像で、自分の人生をつぶすこともある。

◎『止』めるの上に『一』を足すと『正』になる。一度立ち止まることこそ、ネットの「正しい」使い方である。

投稿する前に
一度立ち止まって。
読み返す
もらった相手の気持ちになってみる
送信
送る画像は全ての人に見られると思って！
匿名でもバレるよ！

Special Talk

タレント

スマイリーキクチ

×

武蔵野大学名誉教授

佐藤佳弘

東京都出身。1993年お笑いコンビ『ナイトシフト』結成。翌年解散。現在、一人で活躍中。1999年身に覚えのない事件の殺人犯だとネット上で書き込まれ、以降、誹謗中傷を受け続ける。現在タレント活動の傍ら、自身の経験をもとに全国の自治体や学校、企業などでネット上の中傷と風評被害の実態、いじめや命の大切さについて語る。

東北大学を卒業後、富士通（株）に入社。その後、東京都立高等学校教諭、（株）NTTデータを経て、現在は株式会社情報文化総合研究所　代表取締役、武蔵野大学名誉教授、早稲田大学大学院　非常勤講師、明治学院大学　非常勤講師、総務省 自治大学校 講師。専門は社会情報学。

「安心・安全な
インターネットに
なるように、
法制度が整備
されることを
願っています」（佐藤）

「加害者を減らせば、
必然的に被害者も減る。
利用者の心に
フィルタリングを
設定してほしいです」
（キクチ）

撮影：小林伸幸

20年以上前のデマがいまでも…

佐藤　今回はキクチさんと一緒に本を出版できることになって、とても嬉しく思っています。

キクチ　こちらこそ、佐藤先生とご一緒できるなんて光栄です。よろしくお願いいたします。

佐藤　私は「ボキャブラ天国」（1992〜1999年・フジテレビ系列局で放送されたバラエティ番組）世代ですので、キクチさんのことは昔からよく知っていました。ヨン様のモノマネでブレイクしていましたね。

キクチ　『冬のソナタ』というドラマが流行り、韓流ブームが全盛の頃、芸人仲間から、「ペ・ヨンジュンさんに似てる!」といわれたのですが、自分では全く思わなかったんですよ。普段から笑っていたおかげで、仕事につながりました。

佐藤　その後、私はキクチさんが、「ネット上でのデマで被害を受けた」ということを新聞報道で知りました。大変な被害でしたね。

キクチ　1999年に「2ちゃんねる」の掲示板に、「殺人事件の犯人だ」と事実無根なことが書き込まれて、その後、デマを真に受けた作家さんが書籍に掲載したことで、中傷がさらに深刻化しました。大変な出来事でしたが、いま僕自身はネットの負の教材だと思っています。

佐藤　重要な教材だと思います。私はキクチさんの被害事例を、講演の中で紹介することも多かったです。

キクチ　中傷の事件が新聞やニュースで報道されたのが2009年です。もう10年以上経つので、情報モラル教育を専門にしている講師や、大学の先生も、僕の事件を知らない人が多いんですよ。

佐藤　そうなんですか。キクチさんがデマの被害を受けたのは、20年前のことですよね。現在の被害状況はどうですか?

キクチ　中傷の書き込みは削除されず、いろいろなサイトに残っているので、今も殺人犯だと思っている人が少なからずいるようです。そのデマを信じる人から僕のツイッターやブログに、いまでも「人殺し!」といった投稿があります。

二人で講師を務めたことも

佐藤　私がキクチさんと初めて会ったのは、確か2016年11月の埼玉県朝霞市での講演会です。キクチさんは参加者の一人でした。

キクチ　あの日のことは鮮明に覚えています。自分も講演をさせてもらっていますが、中傷の経験はあっても知識がないと思っていますので、「情報モラルの講演を聞いて、多くを学びたい」と思い、参加させていただきました。

佐藤　講演が始まる直前に、主催者の方が私のところに来て、「スマイリーキクチさんが来ています」と耳打ちしました。ちょっと緊張しましたよ(笑)。間もなく会場に入って来たキクチさんには、芸能人のオーラがありました。私は「何かクレームをつけられるのではないか」と、実は内心ビクビクしながら講演しました(笑)。講演後すぐに名刺交換に行ったら、笑顔で対応してくださり、ホッとしたことを覚えています。

キクチ　そのような印象でしたか(笑)。いままでいろいろな先生方の講演を拝聴してきましたが、事例やトラブルの対処法などを聞いても、適当な内容にがっかりすることが多かったんです。でも佐藤先生は知識も豊富でした。そして真剣に取り組む誠実さも感じました。講演後に機会があればお話をしたいと思っていたところに声をかけてくださり、とても嬉し

かったです。

佐藤　その後、私が主宰するセミナーに講師として来ていただいたり、都の職員研修に二人で講師を務めたりしましたね。

キクチ　講演会でもご一緒させていただいて、僕は誹謗中傷の経験や対処法と、ネットを利用する際の注意点をお話しさせていただき、佐藤先生が法律の瑕疵《かし》や、ヘイトスピーチの問題点などを丁寧に説明してくださったおかげで、多くの方に情報モラルや、ネットの危険性を知ってもらえたと思います。

佐藤　面白かったのは、私が徳島に講演に行ったら、前年度の講演会ではキクチさんが来ていました。ニアミスですね。私は勝手に、「同じ分野で活動している同志」だと思っています。

キクチ　僕も同じ気持ちです。ある地方に行ったときに、近隣で開催される人権啓発の講演会のポスターが貼ってあったのですが、佐藤先生の顔写真が載っていました。最近はネットの人権に関する講演会も、全国的に増えていますね。

法改正は実現せず…

佐藤　女子プロレスラーの方が、多くの中傷投稿を受けた後に亡くなるということがあり、この問題を受けて、ネット上での誹謗中傷対策を検討する、「自民党のプロジェクトチーム（PT）」が発足しました。その会合にキクチさんも出席されていましたが、様子はいかがでしたか？

キクチ　皆さん、真剣に考えていたような印象を受けました。実際にSNSや掲示板に、デマや中傷の書き込みをされた議員さんもいました。「悪質な投稿をした人物を、裁判で特定した経験がある」と話していたので、中傷による風評被害の深刻さも理解してくれたように思います。木村花さんのような被害者を増やさないためにも、一過性の問題で終わらせたくないです。

佐藤　キクチさんは、「プロバイダ責任制限法を改正する最後のチャンス」と語っていましたが、参加した議員の方々の本気度はどうでしたか？

キクチ　法改正に向けては前向きだったと思います。同席した法務省の方々にも、侮辱罪に関する罪の軽さを訴える議員さんもいました。しかし法改正の難しさに加えて、Twitterや Instagram などは海外の事業者なので、日本の法制度の限界も垣間見ました。

佐藤　壁が多いですよね。「PTは法改正も視野に入れている」と報じられていましたが、結局、「法改正は実現せず」でした。まだまだ被害者救済の道は長いと感じています。

キクチ　電話番号の開示は対象になりましたが、そもそもSNS事業者全体が、利用者の電話番号を把握しているとは限りません。刑事法や民事手続きの課題は山積みだと思います。証拠集めや裁判をするにしても、時間や労力、費用もすべて被害者が負担しなければいけません。本当の意味で被害者を救うには、厳しい現実があります。

加害者を減らせば被害者も減る

佐藤　先日、横浜でのキクチさんの講演に参加させていただきましたら、表示されたスライドに「インターネット・ヒューマンライツ協会」とありました。キクチさんが代表なのですね？

キクチ　「子どもたちが情報リテラシーと法律を学べるテキストと環境を作りたい」と思い、弁護士の清水陽平先生と、唐澤貴洋先生に相談しました。その席で、「どうすれば誹謗中傷を減らせるか」をみんなで本気で話し合いました。そのときに「協会を作って活動しよう」という話になり、僭越《せんえつ》ながら、代表を務めさせていただくことになりました。

佐藤　どのような活動をしているのですか？

キクチ　全国各地でセミナーを行い、情報リテラシーや、法律を学ぶセミナーを行いたかったのですが、コロナ禍で休止している状況です。いまも僕のSNSには、誹謗中傷や、リベンジポルノの被害者から相談が寄せられます。しかも年々増加傾向にあって、被害者を救うには限界を感じました。そこで、「加害者を減らす活動をしよう」と考えています。「加害者を減らせば、必然的に被害者も減る」という考えにたどり着いたのです。

佐藤　「被害者を減らす」ではなく、「加害者を減らす」というキクチさんの視点は重要ですね。

キクチ　講演会で誹謗中傷の経験を話すと、「もし、自分が同じ被害に遭っていたら自殺していた」とおっしゃる人が多く、中傷と命の距離の近さに驚かされます。いじめや中傷をされたら、「自分が幸せになる」。これが最大の仕返しだと思っています。生きて解決する方法をたくさんの人に伝えたいですね。

佐藤　「生きて解決」が絶対条件ですよね。今後ますますキクチさんに講演の依頼があると思います。協会には一般の人も参加できるのですか？

キクチ　体制が整い次第、募集したいですね。ネットのトラブルに巻き込まれた人を助けるためにも、対応できる人を全国各地に増やせたら、被害を最小限に防げるような気がします。

佐藤　ネット被害を経験したキクチさんだからこそできる活動であり、キクチさんにしかできない活動です。ぜひ進めていただきたいです。

被害に遭うのはごく普通の子

キクチ　インターネット・ヒューマンライツ協

会では、高校生や中学生にこそ、「情報モラルや法律などのアドバイザー」になってもらいたいと考えています。資格制度にして、受講した生徒さんが、地元の中学校や小学校に出張授業に行くシステムを作りたいですね。危険性だけでなく、学習に役立つアプリなど、ネットの利活用も無限大にあるので紹介したいです。僕のようなおじさんが子どもたちに話すよりも、なるべく年齢が近い者同士が話したほうが、親近感もわいて説得力がありますからね。

佐藤　子どもたちのスマホ所持率がますます上がっていて、ネット利用者がどんどん低年齢化しています。これは被害者や加害者が低年齢化しているということも意味しています。「ネットは放っておけば使えるようになる」ではなく、正しい使い方を教えなければなりません。その点で教育機関の責務も大きいと思います。私は、教育委員会が行う啓発にも、積極的に協力していきたいと考えています。

キクチ　ほとんどの人は、「自分はネットのトラブルとは無縁だ」と思っているでしょう。でも実際は、「被害者にも加害者にもなる危険」が身近に潜んでいます。「小学生が面識のない大人に連れ去られる」といった事件が報道されています。知り合うきっかけはオンラインゲームや、SNSが原因ですが、決して珍しいことではありません。悩みごとをSNSなどに打ち明ける子どもたちは多くいます。しかし、「優しいお兄さんに化けた悪い大人がいる」ということを、子どもも保護者も知りません。被害に遭うのは、ネットに依存しているような特別な子ではなく、ごく普通の子なのです。

佐藤　ネット社会には危険があることを知ってほしいですね。今年、私は小学生向けの啓発ビデオや、中学生向けの啓発ビデオを作りました。いまや子どもたちはユーチューブ世代ですから、動画での啓発は効果的だと思います。

読者へのアドバイス

キクチ　ネットには、プラスになる要素がたくさんあります。便利さや気軽さも、魅力の一つです。その反面、悪い人間にとっても、簡便《かんべん》なツールになっています。犯罪やネガティブな面に引きずりこまれないように、情報倫理の教育は不可欠だと思います。ネットを安全に使うためにも、自分が使う言葉の力を意識しましょう。言葉は人を傷つけて、ときには人の命を奪うこともできますが、言葉は人を励まし、人の命を救うこともできます。放った言葉は、ブーメランのようにいつか自分に戻ってきます。どちらを選択するかは本人次第です。

佐藤　ネット中傷を完全に防ぐことは難しいのですが、私は少なくとも、「自ら被害を招くような行為を避けてほしい」と思っています。具体的には、自撮写真を掲載しないことや、SNSに自ら私生活を投稿しないことなどです。どこでどのように悪用されて、自分が被害者になるかわかりません。そして、もしも被害を受けたら、泣き寝入りをしないことです。

Special Talk

キクチ　スマホを車に例えるなら、学科や技能の教習もなく、いきなり車を手渡されるのと同じことだと思います。ルールも法律も知らずに路上で運転をすれば、トラブルや事故に遭う確率が高いのは当然です。被害者や加害者にならないためにも、本書を教習所のテキストだと思って読んでいただけたら幸いです。スマホが車で、ネットは路上ぐらい危険なんだと、みんなに意識してもらいたいです。

佐藤　本書を読んだ方は、ネット中傷の被害者を救済する手続きが、いかに理不尽なのかを知って驚いたと思います。表現の自由や、通信の秘密が尊重されるべきだということはいわずもがなです。しかし、被害者にとって、中傷投稿を削除するにも、匿名の投稿者を特定するにも、あまりにも手続きの負担が大きい、いや大き過ぎる。被害者にとって、プロバイダ責任制限法には実効性がほとんどないといえます。「本気で被害者を救済する気があるのか！」といいたくなります。本来は、人間の生活や仕事を助けるはずのインターネットが、人を傷付けることになっているのは悲しい現実です。安心・安全なインターネットになるよう、一日も早く法制度が整備されることを願っています。

キクチ　プロバイダ責任制限法は、スマホやSNSの存在を想定していない時代に施行された法律ですからね。法律が時代に追いついていないのが現状です。むしろどんどん差が開いているのではないでしょうか。SNSを利用する際に、「情報を発信する」のと、「ストレスを発散する」のでは意味が違います。これはインターネットが悪いのではなく、利用する人間の問題だと思います。スマホの前に、まずは心にフィルタリングを設定してほしいです。

佐藤　今回はキクチさんと本を出版できて、本当に嬉しいです。ありがとうございました。

キクチ　本書をシリーズ化したいですね（笑）。こちらこそ、ありがとうございました。

あとがき

私は20年間、市民向けの無料セミナーを主宰してきました。「生活情報化セミナー」といいます。

「生活の中にＩＣＴ（Information and Communication Technology＝情報通信技術）が普及することで、私たちにはどのような影響があるのだろうか」ということをテーマに、年4回のペースで開催してきました。毎回、異なる講師を招き、のべ１６００人以上の方が参加してくださいました。

本書は、私のセミナーに、スマイリーキクチさんを講師として招いたときから温めてきた企画です。

キクチさんの講演は、臨場感に溢れていて、被害を体験した人にしか語れない説得力がありました。芸人さんだけあって、語りが上手で引き込まれます。

「キクチさんは、ネット中傷の実態を被害体験者として語れる第一人者だ」と私は講演を聴きながら実感しました。

キクチさんはとても気さくな方で、セミナー後のランチに付き合ってくださいました。

あの日は、目指した店があいにく満席になっていて、あてもなくランチを求めて歩くはめになりました。そんなときにも、キクチさんは嫌な顔一つせず、一緒に歩いてくれたのです。その場には、これまで私の著書を何冊も手がけてくれた、武蔵野大学出版会の斎藤さんも同席していました。斎藤さんは、キクチさんと私がランチしながら、そして場を移してコーヒーを飲みながら行っている意見交換を聞き、「本になる！」と思ったそうです。

その発想が形になり、本書が出来上がりました。


本書の原稿を執筆中に、女子プロレスラーの木村花さんが亡くなりました。

彼女はネットで多くのアンチコメントを投稿されていたと報じられています。マスコミにも大きく取り上げられました。

この事件によって、ネット中傷を削除することの難しさや、発信者を特定することのハードルの高さ、いかに被害者が救済されない状況にあるのかを、多くの人が知ることになりました。

「プロバイダ責任制限法」が２００２年に施行されました。

その後もネット上では多くの誹謗中傷が行われ、多くの被害者が悩み苦しんでいます。

この法律が被害者の救済に、ほとんどといっていいほど機能していないにも関わらず、「現行制度で対応できる」とか、「事業者の自主的な取り組みに委ねる」という説明で、20年もの間、被害者は放置されてきました。

「人が命を落としてからようやく法が見直される」という構図は、今も昔も変わっていません。ストーカー規制法も、あおり危険運転罪も、同じ構図です。

理不尽だった「発信者情報開示」の手続きが見直されましたが、法改正ではなく、省令の変更に止まっていて、実効性についてはまったく疑問です。

むしろ、被害者が大きな苦痛を強いられる現実は変わっていません。

インターネットは1995年頃から普及し、社会の各分野に利便性をもたらしました。

私たちの生活も便利になりました。ところがその反面、「人権侵害」という問題も発生しています。インターネットの利便性が、誹謗中傷の道具として悪用されているのです。

インターネットの現状を見ていると、私は「プロメテウスの火」を思い出します。

プロメテウスというのは、ギリシャ神話に出てくる神の名前です。

プロメテウスは人類に「火」を与えました。その火を使って、人類は食べ物を調理したり、寒い日には暖を取ったり、夜に灯りをともしたりができるようになりました。しかし、人類は火で武器を作り、他の人間たちを傷付けたのです。私たちは現代のプロメテウスの火である、インターネットを使っています。インターネットは生活を便利にする半面、誹謗中傷で人を傷付けることもあります。利便性と危険性は常に背中合わせなのです。私たちは、インターネットの利便性を教授しながらも、危険性を回避することに努めなければなりません。

読者の皆さんが、インターネットの被害に遭わないことを願っています。

そして、万一、被害に遭ったときには、本書を役立てていただければ幸いです。

佐藤佳弘

佐藤佳弘

東北大学を卒業後、富士通（株）に入社。その後、東京都立高等学校教諭、（株）NTT データを経て、現在は株式会社情報文化総合研究所 代表取締役、武蔵野大学名誉教授、早稲田大学大学院 非常勤講師、明治学院大学 非常勤講師、総務省 自治大学校 講師。専門は社会情報学。

■（株）情報文化総合研究所
http://www.icit.jp/

スマイリーキクチ

東京都出身。1993 年お笑いコンビ『ナイトシフト』結成。翌年解散。現在、一人で活躍中。1999 年身に覚えのない事件の殺人犯だとネット上で書き込まれ、以降、誹謗中傷を受け続ける。現在タレント活動の傍ら、自身の経験をもとに全国の自治体や学校、企業などでネット上の中傷と風評被害の実態、いじめや命の大切さについて語る。

■一般社団法人インターネット・ヒューマンライツ協会
https://interhumanright.org/

ネット中傷 駆け込み寺

発行日 2021 年 4 月 20 日　初版 1 刷

著　者　佐藤佳弘／スマイリーキクチ
発　行　武蔵野大学出版会
〒202-8585 東京都西東京市新町 1-1-20
武蔵野大学構内
Tel. 042-468-3003　Fax. 042-468-3004

装丁・本文デザイン　三枝未央
イラスト　野田節美
撮影　小林伸幸
編集　斎藤 晃（武蔵野大学出版会）
印刷　株式会社ルナテック

ISBN978-4-903281-51-3

武蔵野大学出版会ホームページ
http://mubs.jp/syuppan/